(942)　すおほーしおほ

ほお-しょ⓪[奉書]ホウ—(名)㊀將軍の命をうけて執事奉行(ブギャウ)等から下した文書。㊁「奉書紙」。㊂「奉書紬」。——がみ⓪③[奉書紙](名) 楮(カウゾ)の纖維で作った最上等の日本紙。——つむぎ④[奉書紬](名) 羽二重(ハブタヘ)に似た紬。

ほお-しょ①[芳書]ハウ—(名) 相手の手紙の敬稱。芳簡。芳札。

ほお-しょ①[苞苴]ハウ—(名)㊀あらまき。㊁みやげ(もの)。㊂賄賂(に用ひる物)。

ほお-しょ①⓪[報書]ハウ—(名) しらせる手紙。

ほお-じょ①[幇助]ホウ—(名) そばからたすけること。

ぼお-しょ⓪[防暑]バウ—(名) 暑氣をふせぐこと。

ぼお-しょ①⓪[謀書]ボウ—(名) 文書を僞造すること、又僞造した文書。

ほお-しょお⓪[奉承]ホウショウ(名) うけたまはること。

ほお-しょお⓪[奉唱]ホウシャウ(名) つつしんでうたふこと。

ほお-しょお⓪[奉頌]ホウショウ(名) つつしんでほめること。

ほお-しょお⓪[放縦]ハウショウ(名) はうじゅう。

ほお-しょお③[法性]ホフシャウ(名)【佛】諸法の實性(ジッシャウ)。眞如。

ほお-しょお⓪[法相]ホフシャウ(名) 司法大臣。

ほお-しょお⓪[報償]ハウシャウ(名)㊀つぐのひ。㊁しかへし。

ほお-しょお⓪[褒章]ハウシャウ(名)【法】奇特の行爲あるものに與へる徽章。

ほお-しょお⓪[褒賞]ハウシャウ(名)㊀ほめること。㊁ほめて與へる品物。褒美。

ほお-じょお⓪[方丈]ハウヂャウ(名)㊀一丈四方。㊁【佛】(イ)寺院の住持の居間。(ロ)寺院の住持。

ほお-じょお⓪[放生]ハウジャウ(名) 捕へた動物をにがすこと。——[illegible]

ほお-じょお⑨[法帖]ハフデフ(名) 古人の手蹟を石摺にした折本。

ほお-じょお⓪[法城]ホフジャウ(名)【佛】よりどころとする佛法。

ほお-じょお⑩[法條]ハフデウ(名) のり。おきて。

ほお-じょお⓪[芳情]ハウジャウ(名) 芳志。

ほお-じょお⓪[褒状]ハウジャウ(名)㊀ほめて與へる書状。㊁褒章にそへて賜はる書状。

ほお-じょお⑩[豐穣]ホウジャウ(名)㊀ゆたか。㊁豐年。

[illegible]

ぼお-しょお⓪[帽章]バウシャウ(名) 帽子の徽章。

ぼお-じょお⓪[暴状]バウジャウ(名) 亂暴なありさま。

ぼお-じょお⓪[亡状]バウジャウ(名) 無禮な行動。

ほおしょお-りゅう⓪[寶生流]ホウシャウリウ(名) 能樂の一派。觀世蓮阿彌を祖とする。

ほお-しょく⓪[奉職]ホウ—(名) 官職につくこと。

ほお-しょく⓪[飽食]ハウ—(名) 腹一杯たべること。

ほお-しょく⓪[豐殖]ホウ—(名) 増しふえること。

ぼお-しょく⓪[紡織]バウ—(名) 紡績とはたおりと。

ぼお-しょく⓪[望蜀]バウ—(名) 最初の望をとげて、更にその上をのぞむこと。

ぼお-しょく⓪[暴食]バウ—(名) やたらにくふこと。

ぼおしょく-ざい⓪[防蝕劑]バウ—(名) 金屬面の腐蝕を防止する藥劑。

ほお・じる⓪[奉じる]ホウジル(他上一)㊀たてまつる。㊁うけたまはる。㊂いただく。㊃ささげる。(文)奉ず(サ)。

ほお・じる⓪[焙じる]ホウジル(他上一) 加熱して濕氣を去る。(文)焙ず(サ)。

ほお・じる③⓪[報じる]ハウジル(他上一)㊀む[illegible]

科の小鳥。我が國の特產で全身赭褐(シャカッ)色で頰は白い。鳴き聲が美しい。
ほお-しん⓪[方針]ハウ—(名)㊀羅針盤の方位を指し示す磁針。㊁進み行く一定の目的。
ほお-しん⓪[放心]ハウ—(名)㊀心をとめないこと。㊁外物に氣をとられてしまりのない心。㊂安心。
ほお-しん②①[法身]ホフ—(名)【佛】ほっしん。
ほお-しん⓪[芳心]ハウ—(名)㊀芳志。㊁美人の心。
ほお-しん⓪[砲身]ハウ—(名)【軍】火藥・彈丸をつめて發射する、長い筒狀をなす火砲の主要部。
ほお-しん⓪[報身]ハウ—(名)【佛】願行(グヮンギャウ)の功德の結果である、萬德圓滿の佛身。——ぶつ③[報身佛](名)【佛】報身の佛。阿彌陀如來の類。
ほお-じん⓪[方陣]ハウヂン(名) 方形に排列した陣。
ほお-じん⓪[邦人]ハウ—(名)㊀自國の人。㊁日本人。
ほお-じん⓪[法人]ハフ—(名)【法】法律上人格があると見なされた權利・義務の主體。擬人(⇔自然人)。
ほお-じん⓪[庖人]ハウ—(名) 料理人。コック。
ほお-じん⓪[封人]ホウ—(名) 國境を守る人。
ぼお-しん⓪[亡臣]バウ—(名) 亡命の臣下。
ぼお-しん⓪[亡親]バウ—(名) 死んだ親。
ぼお-しん⓪[妄信]バウ—(名) やたらに信ずること。まうしん。
ぼお-しん①③[謀臣]ボウ—(名) 謀計を立てる臣下。
ぼお-じん⓪[防人]バウ—(名)⇒さきもり。
ぼお-じん⓪[傍人]バウ—(名) そばにゐる人。
ほお-しんのお⑤[法親王]ホフシンワウ(名) 御出家後、親王宣下(センゲ)のあった御方。

明解国語辞典』台帳（1948年9月25日発行12版）への見坊豪紀の書き入れ

青い打ち消し線は、『明解国語辞典』の改訂にあたって最初に削除を決定した項目。

赤い打ち消し線は、その後さらに削除を決めた項目。欄外に新規項目を記入している。

〔原寸大。見坊家 蔵〕

ほお・ず⓪【崩ず】ホウズ(自サ)〔文〕↓(ほおずる)。

ほお・ず⓪【報ず】ハウズ(他サ)〔文〕↓(ほおずる)。

ほお・ず③⓪【焙ず】ハウズ(他サ)〔文〕↓(ほおじる)。

ほお-ず⓪【方圖】ハウヅ(名) 際限。かぎり。

ぼお・ず③⓪【忘ず】バウズ(他サ)〔文〕わすれる。

ぼお-ず①【坊主】バウー(名) ㈠寺院の主である僧。㈡僧侶。㈢剃髮した頭(の人)。㈣武家に仕へ、茶の湯・雜用を掌った者。㈤はげあたま。㈥男の兒。 ——あたま④【坊主頭】(名) 髮をそったあたま。 ——もち⓪⑤【坊主持】(名) 坊主に會ふたびに荷物の持手をかへること。 ——やま③【坊主山】(名) はげやま。

ポオズ①[pose](名) ㈠姿勢。すがた。㈡態度。㈢氣取った姿勢。

ほお-すい⓪【方錐】ハウスヰ(名) ㈠四角なきり。よつめぎり。㈡方錐形。 ——けえ⓪【方錐形】ケイ(名)【數】頂點を共有する四平面と一つの方形の平面とにかこまれた立體。

ほお-すい⓪【放水】ハウスヰ(名) 水を導き流すこと。 ——ろ③【放水路】(名) 放水を行ふ水路。

ほお-すい⓪【[illegible]】—スヰ(名) [illegible]。

ぼお-すい⓪【防水】バウスヰ(名) 水がしみとほるのを防ぐこと。 ——ふ③【防水布】(名) 水がしみこまないやうに加工した布。

ぼお-すい⓪【紡錘】バウスヰ(名) 絲をつむぐつむ。

ほおすい-クロラアル⑦【抱水Chloral】ハウスヰー(名)【化】無色透明の結晶。強い臭氣と苦い味とがある。睡眠・鎭靜劑用。

ほお-ずえ④③【頰杖】ホホヅエ(名) 肘を突き、手で頰を支へること。

ほお-ずき⓪【酸漿】ホホヅキ(名) ㈠【植】茄(ナス)科の多年草。秋、帶黄白色の花を開き、發…入れて鳴らす玩具。

ほお・ずる⓪【奉ずる】ホウズル(他サ) ほうじる。

ほお・ずる③⓪【封ずる】ホウズル(他サ) ㈠土を積む。㈡さかひを設ける。㈢領地を與へる。㈣ふうをする。図封ず(サ)。

ほお・ずる⓪【崩ずる】ホウズル(他サ) おかくれになる。かみさる。図崩ず(サ)。

ほお・ずる⓪③【報ずる】ハウズル(他サ) ほおじる。

ほお-すん⓪【方寸】ハウー(名) ㈠一寸四方。㈡心中。

ほお-せ①【法施】ホフー(名)【佛】(イ)佛法を說ききかせること。(ロ)佛に經をあげること。(ハ)法事を行ふこと。

ほお-せえ⓪【方正】ハウセイ(名) ただしいこと。

ほお-せえ⓪【法制】ハフセイ(名) ㈠法律と制度。㈡制定された法律。

ほお-せえ⓪【砲聲】ハウセイ(名) 發砲のおと。

ほお-せえ⓪【鳳聲】ホウセイ(名) 傳言の敬語。

ぼお-せえ⓪【暴政】バウセイ(名) 暴虐な政治。

ほお-せき④⓪【寶石】ハウー(名) 産額が少く、質が硬く、美麗で、世間で珍重される鑛物。

ぼお-せき⓪【紡績】バウー(名) ㈠絲をつむぐこと。㈡↑紡績絲。 ——いと⑤【紡績絲】(名) 種種の纖維をつむぎ撚って作った絲。 ——けんし⑤【紡績絹絲】(名) 屑繭等から眞綿を作り、それをつむいで作った絲。絹紡(絲)。

ぼお-せつ⓪【妄說】バウー(名) 無根の說。虛說。謬說。

ぼお-せつ⓪【暴說】バウー(名) 亂暴な說。

ほお-せん⓪【奉遷】ホウー(名) 御神影・御神體などを他へうつしたてまつること。

ほお-せん⓪【砲戰】ハウー(名)【軍】砲兵の間にかはされる戰鬪。砲擊戰。

ほお-せん⓪【封禪】ホウー(名)(昔、支那で)天…

ほお-せん⓪【寶前】ハウー(名) 神佛の前。

ぼお-せん⓪【防戰】バウー(名) ふせぎたたかふこと。

ぼお-ぜん⓪【呆然】ボウー(名・副) あきれるさま。あっけにとられるさま。

ぼお-ぜん⓪【茫然】バウー(名・副) ㈠氣のぬけたさま。ぼんやりしてゐるさま。㈡ひろくて遠いさま。㈢とりとめのないさま。

ほおせん-か③【鳳仙花】ホウークヮ(名)【植】鳳仙花科の一年草。夏、紅色・白色等の花を開く。果實は楕圓形で、成熟すると縱に割れ、內側に卷いて種子をはじき出す。觀賞用。

ほおせん-ちゅう⓪【方尖柱】ハウー(名)↓オベリスク。

ぼおせん-もお③【防潜網】バウセンマウ(名) 潜水艦の侵入・攻擊を防ぐ網。

ほお-そ①【苞苴】ハウー(名) はうしょ。

ほお-そ⓪【硼素】ハウー(名)【化】非金屬元素の一。黑褐色・無定形の固體で天然には硼酸・硼砂として産する。

ほお-そ①【寶祚】ハウー(名) ㈠天皇の御位。㈡寶算。

ほお-そお⓪【包裝】ハウサウ(名) ㈠うはづつみ。㈡にづくり。

ほお-そお⓪【放送】ハウソウ(名)(ラジオで)ニュウス・講演・演藝等を送ること。 ——きょく③【放送局】(名) 放送を行ふ所。 ——いん③【放送員】(名)↓アナウンサア。 ——むせんでんわ⑥【放送無線電話】(名) ラジオ。

ほお-そお⓪【法曹】ハフサウ(名) ㈠司法官。㈡法律の事務を取扱ふ人。

ほお-そお⓪【奉送】ホウソウ(名) つつしんで見送ること。

ほお-そお①【疱瘡】ハウサウ(名)【醫】痘瘡。 ——がみ⑤【疱瘡神】(名) 疱瘡を流行させる神。

ほお-そお⓪【蓬窓】ホウサウ(名) 貧者のまど。

ほお-ぞお⓪【包藏】ハウザウ(名) つつみをさめること。

三《サン》省堂国《コク》語辞典から

消えた

ことば辞典

見坊行徳・三省堂編修所［編著］

三省堂

「見坊カード」を手にする見坊豪紀《ひでとし》先生（1914-1992）

過ぎ去りし「今」を削除語から見渡す

二〇二一年秋、発売前の『三省堂国語辞典』第八版で削除予定の項目[*1]が、「辞書から消える言葉」としてテレビの情報番組[*2]でクローズアップされ、ことばの死語化という切り口から報じられました。発売後の二二年にかけても、同じ趣向で新聞やテレビなど[*3]に繰り返し取り上げられました。若い世代からは実際にこれらの語を知らないという反応がある一方、既知の方々からは、確かに最近は耳にしないと納得する意見が聞かれるとともに、削除を惜しむ声や疑問の声も上がり、この際辞書から消えたことばだけ集めた本を作ってほしい、とのご要望も編集部に頂くようになりました。

本書は、皆様のそういった反響に応えて編まれました。歴代の『**三省堂国語辞典**』[*4]とその前身『**明解国語辞典**』[*5]から削

＊1　本書の項目では「スッチー」「着メロ」「トラバーユ」「パソコン通信」「ＢＢＳ」「ペレストロイカ」「メタルテープ」など。

＊2　テレビ朝日「羽鳥慎一モーニングショー」(2021年9月23日)。

＊3　朝日新聞夕刊(2021年12月3日)、日本経済新聞(同12月5日)、フジテレビ「イット！」(同12月6日)、ＴＢＳ「東大王」(2022年2月2日)、YouTube「キャンベルの四の五のＹＯＵチャンネル」(同5月26日)、日本テレビ「月曜から夜ふかし」(同8月22日)、ＴＢＳ「マツコの知らない世界」(同11月8日)など。

＊4　略称、**三国**《さんこく》、**サンコク**。☞

除された項目を集めた、辞書から「消えた」ことばのコレクションです。

現代語を対象とする小型国語辞書には、今の社会に広まり、かつ定着したと判断されたことばや語義が採録されます。その「今」から外れれば、改訂時に削除される運命にあります。このことはあまり知られていませんが、とりわけ『明国』『三国』は現代に追随する性格が強く、改訂では一千語以上の削除も珍しくありません。この数字は他書より非常に多い水準です。

ただし辞書から「消えた」ことばの事情は様々です。そもその存在が確認し難い語。[*6] 時の流れで忘れ去られた語。[*7] 制度の変更などにより消滅した用語。[*8] モノとして下火になったり、需要が減ったりして、存在感の薄れていった語。[*9] 編集方針上ふさわしくないと判断されて削られた語。[*10] やや複雑な例では、微妙に変形した語形[*11]や、複合語として立項されていた

7ページ「三省堂国語辞典とは」

＊5　略称、**明国**《めいこく》。1943年5月10日初版発行。本年は**刊行80周年**。

＊6　いわゆる**幽霊語**。使われている証拠がなければ、辞書に載せ続けることはできない。

＊7　いわゆる**死語**を含む。本書の項目では「壁訴訟」「ダベリング」など。

＊8　いわゆる**廃語**。同じく「営林署」「小荷物」など。ここでの「死語」との区別は、見坊豪紀『ことばさまざまな出会い』(1983)による。

＊9　同じく「MD」「オート三輪(車)」など。

＊10　同じく「D」「ボイン」など。また、固有名詞性の強い「タカラジェンヌ」「ヅカ」など。

＊11　本書の項目では「チェッコ」「メーンエベント」など。

のが構成要素の注付き用例[*12]に収まった語[*13]もあります。

そのような中から、特に時代性のある語や、語釈の興味深い語など、ちょうど**一、〇〇〇項目**をピックアップし、旧版の紙面を掲載しました。そのうち**一五項目**[*14]は**大項目**として取り上げました。当時を懐かしむ助けとなる素敵な**挿絵五〇点**は、萌える国語辞典。さんの手に成るものです。校閲は境田稔信さんに、掲載版の確認は岡本有子さん・長坂亮子さんにご尽力いただきました。

最後になりましたが、『明解国語辞典』から『三省堂国語辞典』まで、すばらしい辞書を世に送り出し、たゆまぬ改訂でことばの「今」を追い続けている編者・関係者の皆様に感謝します。

二〇二三年二月　　編　者

＊12　用例の中で、ことばの直後に〔=〇〇〕のような括弧書きで説明を補ったもの。

＊13　本書の項目では「使い切りカメラ」「ながら族」など。

＊14　「エアシュート」「MD」「オート三輪(車)」「キーパンチャー」「枢《くるる》」「コギャル」「自動券売機」「聖徳太子」「赤外線通信」「ながら族」「バスガアル」「ファミコン」「ミルクホール」「メーンエベント」「ワードハンティング」。

＊本書の見出し語には、今日の社会通念からすれば差別的ないしは公序良俗に反すると受け止められるものがありますが、当時の社会背景を反映した資料性という観点から、また現代日本語の語彙変化を跡付けるため、原文のまま掲載しています。これらの語の含意する偏見やわいせつ性を肯定・助長する意図はまったくありません。

本辞典の見方

項目の構成＝各項目は、掲載版を示す**ゲージ**（❶）、旧版の紙面を転載した**見出し語・語釈**（❷）、**脚注**（❸）の三段で構成されています。

❶掲載版ゲージ

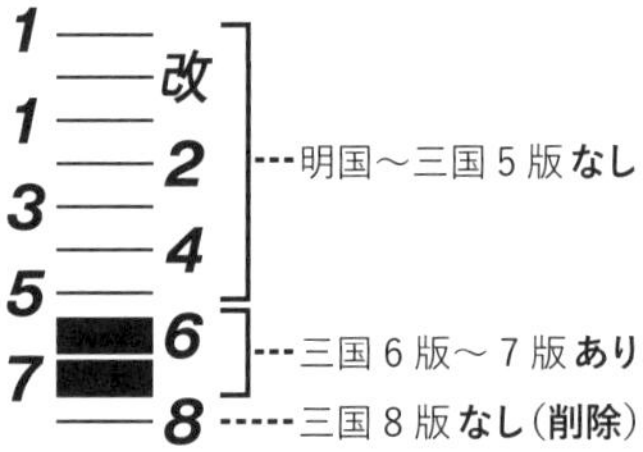

10本の横線が、上から明解国語辞典、同改訂版、三省堂国語辞典初版～第八版を表します。太線（━）がその見出し語を掲載した版です。ことばの掲載時期がひと目でわかります。

❷削除直前の版の項目

その見出し語が立項された最後の版の紙面※を拡大して配列しています。

三国第八版で削除された「ウォームビズ」では、その直前の第七版の語釈になります。

「↑」「✩✩」などの記号・略号も、旧版からそのまま転載しています。

❸脚注

削マークは、廃項（項目削除）となった版と、その刊行年を示しています。

続いて、明国・三国における取り扱いの変遷や関連項目の動向、ことばの意味・来歴などを補足しています。

☞マークで示した項目もご覧ください。

ウォームビズ（名）〔warm biz〘↑←business〙〕〔省エネのために〕冬、職場で、重ね着をするなど、あたたかい服装をすること。ウオームビズ。〔二〇〇五年、環境(カンキョウ)省が提唱〕（↔クールビズ）

うきドック〔浮きドック〕（名）船をのせて、水の上で作業するように作ったドック。（↔乾(カン)ドック）

✩✩**うきよ**〔浮き世〕（名）**――ぶろ**〔浮世風〈呂〉〕（名）〔俗〕銭湯(セントウ)。

削**第八版**（2022・令4）。環境省の当初の表記は「ウオームビズ」。クールビズと同じ年に始まり、公募された名称から、「熱心な、元気活発な」の意味もあるwarmが選ばれた。

削**第七版**（2014・平26）。明国の漢字表記は「浮船渠」。☞乾ドック（54ジ）

削**第五版**（2001・平13）。江戸時代には、遊女が客をもてなす風呂屋のことを言った。

削除項目が**子見出し**の場合は、親見出しも一部をグレーアウトして併載しました。この例では、削除項目は子見出し「浮世風呂」です。親見出し「浮き世」が消えたわけではありませんから、ご注意ください。

◉見出し語の選定

明解国語辞典改訂版〜三省堂国語辞典第八版のいずれかで削除された見出し語から 1,000 項目を精選して掲げました。

次の場合も削除項目として扱っていることがあります。

(1)いちど削除されたが、後に同様の語義で復活した。
例「ざあ」「ＤＤＴ」

(2)いちど削除されたが、後に全く別の語義で復活した。
例「ライスペーパー」「ワーカー」

(3)語形だけが変化した。
例「じじい」「ゼネレーション」

これらについては、脚注でも適宜補足しています。

◉見出し語の配列

仮名見出し（子見出しは親見出しに従う）の五十音順です。

明解国語辞典・同改訂版は表音式を採用していますが、その仮名のままで配列しています。

エムディー【ＭＤ】（名） ①〔↑Mini Disc＝商標名〕デジタル録音・再生のための、直径六・四センチのディスク。「―プレーヤー」 ②〔↑missile defense〕⇩ミサイル防衛。

第五版(2001)で採録。ＭＤレコーダーの生産期間は1992年〜2020年で、家電量販店でも見かけなくなったことから知らない世代が増えつつあり、第八版(2022・令4)で②(ミサイル防衛)もろとも廃項となる。他の記憶媒体では「ＭＯ」(☞前項)、「磁気テープ」(☞100ページ)、「レーザーディスク(ＬＤ)」(☞231ページ)が一つ前の第七版(2014)で削除されている。

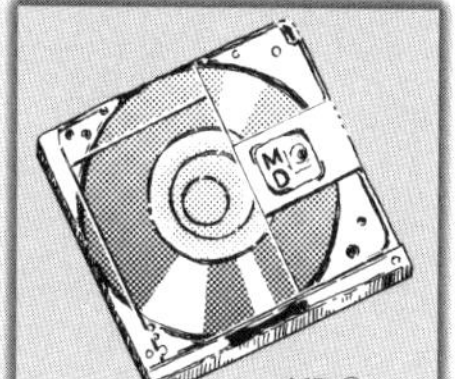

MD ①

特に興味深い 15 項目（☞３ページ脚注）は特大サイズの**大項目**とし、解説を充実させて挿絵も添えました。

50 項目に**挿絵**を新たに付しました。削除前の紙面に、すでに挿絵が載っている場合もあります。

※掲載版の刷次

明国初版：1951 年 7 月 10 日 19 版
明国改訂版：1971 年 4 月 20 日 改訂新装版第 163 刷
三国初版：1968 年 3 月 1 日 新装版第 4 刷
三国 2 版：1980 年 11 月 1 日 第 25 刷
三国 3 版：1988 年 3 月 25 日 中型版第 29 刷
三国 4 版：1998 年 12 月 1 日 革装第 28 刷
三国 5 版：2001 年 3 月 1 日 第 1 刷
三国 6 版：2011 年 12 月 20 日 第 4 刷
三国 7 版：2014 年 1 月 10 日 第 1 刷

目次

あ 15 27項目	か 42 63項目	さ 92 27項目	た 130 25項目	な 155 24項目	は 170 21項目	ま 200 30項目	や 218 16項目	ら 226 11項目	わ 237 9項目
い 21 25項目	き 55 46項目	し 98 79項目	ち 134 17項目	に 160 25項目	ひ 176 33項目	み 206 13項目		り 228 14項目	ゐ
う 26 15項目	く 65 37項目	す 114 28項目	つ 138 7項目	ぬ 166 4項目	ふ 182 40項目	む 209 6項目	ゆ 220 12項目	る 231 3項目	
え 30 17項目	け 73 26項目	せ 119 26項目	て 140 32項目	ね 167 6項目	へ 191 18項目	め 210 14項目		れ 231 7項目	ゑ
お 36 24項目	こ 78 51項目	そ 126 15項目	と 148 35項目	の 168 6項目	ほ 194 24項目	も 214 16項目	よ 223 12項目	ろ 233 14項目	を ん

三省堂国語辞典とは

『三省堂国語辞典』を一言で言えば、徹底的に現代日本語の辞書である。

その前身は『明解国語辞典』(1943)。大学院生時代の見坊豪紀《けんぼうひでとし》が、東大の恩師であった金田一京助に依頼され、三省堂刊『小辞林』(1928)を下敷きに、たった一年あまりでほぼ独力で作り上げた。見出し語や語義に用例採集の成果を活用し、同じ手法を継続して『明解国語辞典 改訂版』(1952)でも内容を大きく更新した。

この『明国《めいこく》』は学生の指定辞書として大成功を収めたものの、表音式の見出しが新制中学では採用の障害となり、他書の伸長を許した。慌てた三省堂は見出しを現代かなづかいに改めるよう求め、見坊ら編者陣は『明国 改訂版』をもとに、またも一年ほどでまとめ上げた。ここに社名を冠した『三省堂国語辞典』が誕生した。

『三国《さんこく》』はその後六十年以上も猛烈な改訂を続け、辞書の心臓たるべき見出し語の選定をはじめとした様々な面で小型国語辞書をリードする存在となっている。

初版(1960)では、意味の記述に当たり「ことばの写生」という方針を確立。「水」を「水素と酸素の化合物」と解説するような書き方を避け、「われわれの生活になくてはならない、すき通ったつめたい液体」としたのがその代表例である。日本語の使い手が普段の生活でそのことばをどう捉えているかという視点から平易に描写した。凡例も「辞書の読み方」など、読者本位の項目立てに様変わりした。

第二版(1974)は、初版刊行後から見坊が集めてきた百万にのぼる用例が存分に生かされ、大幅な項目の刷新がなされた。「はじめ」を「初め」「始め」の二項目に分割するなど、同訓異字を別項目で扱う『三国』の伝統はこの版に始まっている。

第三版(1982)では、中学校のベテラン教員を起用して「学習重要語」を選定・表示した。同じ仮名表記になる類義語の書き分けを←→の矢印で相互参照させたのもこの版である。序文には「辞書はことばを写す鏡であり、ことばを正す鑑《かがみ》である」という見坊の信念「**辞書=かがみ論**」が明記された。

第四版(1992)は見坊による最後の改訂であった。**見坊カード**(☞11ページ)は一九九一年末をもって追増が途絶え、序文にその数「百四十五万枚」と刻まれた。

第五版(2001)からは二色刷りになり、見出し語の表記で仮名書きにできる部分を赤い括弧で示した。これにより、例えば「然し・併し」は「しかし」と書けるとひと目でわかる。また、いわゆる差別語に対して注記が施されるようになった。

第六版(2008)は、二〇一二年に『三国』初のスマートフォンアプリが登場。次版以降も書籍版の発売に伴ってアプリなどの電子版がリリースされている。

第七版(2014)では、「学習重要語」に代わり、社会人が身につけておきたいという観点で選ばれた「社会常識語」を☆☆印で示している。『阪神タイガース仕様』など球団それぞれに寄せて用例等を改変した特別版三種も好評を博した。

最新の**第八版**(2022)は、史上最大とも言える規模の改訂を見た。アクセントの全面的な表示、[!][由来][区別]といった便利で面白いコラムの新設、品詞分類の変更が一挙に行われたほか、説明の簡素すぎた語釈も大幅に改善・拡充されている。

これら各版に一貫する『三国』の項目選定・語義記述の特色は、**現代の日常生活で使われることばを取り入れている**ということに尽きる。

見坊豪紀は、辞書の中のことばの世界を(1)**中心的なことば**(どんな辞書にもある伝統的な語)、(2)**周辺的なことば**(かたい漢語、古い和語、百科事典的項目)、(3)**日常生活的なことば**に分類した。『三国』の強みは三番目にある。例えば第八版では、「あれ」の記述に「あれな(=ひどい)あつかい」や「それはあれだよ、片思いってやつだよ」の説明が加わり、また「制覇」には「全国の温泉を制覇(=すべて体験)する」の用法が入り、「渋滞」には「受け止めきれないほど〈多い/強い〉こと」が、「治外法権」には「一般のきまりに従わなくていい〈権利/状況〉」が、そして「罠《わな》」には「失敗(のもとになるもの)」が語義として追加された。それがどうしたんだ、と思えてしまうほど今や当たり前なことばたちだが、実は『三国』が取り上げて初めて国語辞書の世界に入ったものばかりである。

「『三国』は新語に強い」との世評がある。それは正しいけれども、あくまでも暮らしの中のことばを実例に拠って分け隔てなく採録した結果、身近に登場した新語も載ることになった、しかるべくして新語にも強くなった、というのが実情だ。

裏を返せば『三国』は、**現代の日常生活で使われないことばは取り入れない**。世が移り、日本語の担い手も世代交代を重ねるなか、『三国』は改訂ごとに三千～四千項目（版によっては更に多く）を新たに立項してきたが、同時に大胆な削除も行っている。その真の狙いは、紙幅に制約のある冊子体での分量調整ではなく、等身大の言語生活を小型国語辞書という枠組み《パラダイム》に即して反映することにある。結果としておのずから項目の増量が防がれ、小型辞書という枠組み《フォーマット》に収まってもいる。

使われなくなったことばを発見して削除することは、新しいことばや語義を見つけ出す以上に困難を極める。新語のようにもてはやされたりせずに、ただ音もなく消えてゆくのである。それに気づくためには結局、改訂のたびに数万の項目やその数倍に及ぶ語義の適否をていねいに見直し、正しく取捨を判断できるよう日頃からことばの移り変わりを観察するという王道をひたすら歩むほかない。

見坊カードとは

研究者にとって、カードは生命である。（『日本語の用例採集法』46ページ）

辞書を作るためには必ず、実際に使われていることばを確認しなくてはならない。この「使われていることば」を**用例**と言い、その収集を**用例採集**と呼ぶ。作業がデジタル化される以前の用例採集は、もっぱら**用例カード**に用例を記入したり、実物を貼り付けたりすることで行われていた。

見坊豪紀《けんぼうひでとし》が『**三省堂国語辞典**』（☞7ページ）の編纂《へんさん》に当たって用いたのは、A５判を二つに割ったタンザク状の用例カードだった。原稿用紙風に二〇字×五行＋一字のマス目が印刷され、作業者は採集した語の読み、表記、出典などを記録する（☞カバーの前袖「**見坊カードの実例**」）。

出典情報は特に重要で、デンマークの言語学者オットー・イェスペルセンが記した「**日付けのない用例は用例ではない**」という箴言《しんげん》を、見坊は強く心に刻んでいた。

> 切り抜きをカードに張り付ける。見出しなどを書き、出典を明らかにするため新聞・雑誌・単行本名のゴム印を押す。こういった単純な作業を、一枚三分間ぐらいの速さで、一日じゅう黙黙として繰り返すことは、相当の忍耐心や体力を必要とします。（『ことばの海をゆく』13ページ）

見坊は『三省堂国語辞典』初版刊行以来、自分の時間をほとんどすべて用例採集に当てる生活をしており（☞237ページ「**ワードハンティング**」）、文字通り昼夜の別なく黙々としてことば集めに励む日々だった。

> できあがったカードは、検査をしなければなりません。一枚一枚のカードは貴重なデータですが、検査を経ないデータは誤りのもとです。〔中略〕そのまま使っても九五％以上間違いないはずですが、どこにどんな誤りがあるかわからない以上、利用する気になりません。（同13ページ）

こうして厳密を期した、辞書のための膨大な用例データベースが蓄積されていった。集めたカードは**見坊カード**、あるいは**見坊コレクション**と呼ばれている。

見坊カードが百万枚を超えたのは、遅くとも一九七四年。同年一月二十五日付の朝日新聞夕刊は「見坊コレクション百万を超える」という見出しで用例数が大台に乗ったことを報じている。しかしこの時点で、見坊の手元には検査待ちのカードが多数控え、七〇年代に入ってからは採集ペースを落としたという証言がある。逆算すると、百万はさらに早く達成されており、始めて最初の十年は年間十万に迫るおそるべきスピードで用例を積み上げていったことになる。

見坊本人は、「自分のせまい見聞の範囲」で集めたこのデータベースに二、三例もあったなら、大量の用例が背後に潜んでいることが予想されるので、その語は辞書に載せたいと考えていた(『日本語の用例採集法』106ページ)。

その一方で、用例を活用できる比率としては、「辞書にのるのは、かりに一〇〇例集めてもそのうちの二―三例」と分析していた(『辞書と日本語』39ページ)。臨時的なことば、固有名詞など、『三国』の採録する方針と異なる用例であっても構わずカードにつけた。

生涯で収集したカードは約百四十五万枚に上ったと考えられている。これは推計値である。多すぎて誰も正確な数は把握できていないのだ。実は、さる美術展で見坊カードの〝動態展示〟が企画されたこともあったようなのだが、貸し出しの際に正確な枚数を管理する必要が生じるため、その計数などが問題にもなり、実現に至らなかった。

見坊の生前、**明解研究所**と名付けられた仕事場の一軒家で保管されていたカードは、今では三省堂の八王子の資料室に移されている。移動式書架の一角に、千数百枚のカードが詰まったケースが一千個ほどずらりと並ぶ。

現在『三国』編集委員を務める飯間浩明《いいまひろあき》は、NHKの取材でここを訪れた際、カードを前にこう述べた。

「ここに、見坊豪紀がいる。このカードが、見坊豪紀そのものですね」（佐々木健一『辞書になった男』文庫299ジペー）

まさしく見坊カードは見坊の命に等しい存在だった。

私の資料はできれば永久に保存したい。後の世の研究者にも役に立つことを期待するから、いつまでも保存しておきたい。（『日本語の用例採集法』43ジペー）

明国 1 三国 1 3 5 7 改 2 4 6 8

あいうえお

アイ［I］（名）〔学〕妊娠（ニンシン）中絶。⇩:A。

あいえき［愛液］（名）〔俗〕女性の性的興奮（コウフン）がたかまったとき、バルトリン腺（セン）から出る液体。

あい-こく ①［愛國］（名）

━-ふじんかい ⑥［愛國婦人會］━クヮイ（名）戦死者の遺族・傷痍軍人の救濟を目的とする婦人團體。明治三十四年創立。愛婦。昭和十七年大日本婦人會に統合された。

アイス（名）［ice］

●**━ケーキ**（名）〔和製英語 ice cake〕①牛乳の脂肪（シボウ）分が三％以下

削 **第五版**（2001・平13）。1970年代から、A＝キス、B＝ペッティング、C＝性交、D＝妊娠（☞140ページ）と隠語で言われたが、まとめて削除。

削 **第七版**（2014・平26）。性俗語は「なかったことにする」との編集方針強化にともない、「前張り」（☞200ページ）などと同時に削除。

削 **明国改訂版**（1952・昭27）。統合前の会員数は四百万人を超える。同様の組織「國防婦人會」（同版で削除）と合流した大日本婦人会は大政翼賛会を経て国民義勇隊に統合され、終戦で解散。

削 **第六版**（2008・平20）。①は生地を使った菓子ではなく、食品衛生法のアイスクリーム。②アイスクリームを台にした、デコレーションケーキ。

アイデアル（形動ダ）〔ideal〕理想的。

アイビー エム［ＩＢＭ］（名）〔←International Business Machines＝商標名〕 分類・計算・統計などを自動的に行なう機械。

アイモード［ｉモード］（名）〔商標名〕 携帯（ケイタイ）電話からインターネットに接続できるサービス。

あお そこひ［青（：内障）］アヲー（名）〔医〕⇩りょくないしょう（緑内障）。

施行規則の分類を記述している。『最新アイスクリーム類読本』（1960）によれば、シャーベット、フラッペ、ラクトアイスなどが含まれる。

削 **第二版**（1974・昭49）。1963年に植木等が「何《なん》である、アイデアル」と言う洋傘のＣＭが一世を風靡したが、項目存続には繋がらず。

削 **第二版**（1974・昭49）。1960年代、企業や行政では情報処理を担当する「ＩＢＭ係」が出現した。入れ代わりで「コンピュータ（ー）」が立項。☞キーパンチャー（55㌻）

削 **第七版**（2014・平26）。1999年開始。ガラケー時代の寵児。2026年終了予定。☞赤外線通信（121㌻）

削 **第七版**（2014・平26）。日本語の「青」は緑などの寒色も含む。「黒《くろ》内障《そこひ》」「白内障《しろそこひ》」も削除。

あかだいこん【赤大根】(名) ㊀皮の赤い、まるい小形の大根。㊁うわべだけが左翼的なもの。

あかでんしゃ【赤電車】(名) 終電車。めじるしに赤い電燈をつける。(↔青電(車))

あかでんわ【赤電話】(名) 店先・駅の構内にすえつけて保管・取りあつかいを委託(イタク)する、赤い色の公衆電話。

あかのごはん【赤の御飯】(連語) 赤飯(セキハン)。

あかもん【赤門】(名) ㊀赤くぬった門。㊁東京大学の一名。〔赤くぬった門があるため〕「━派」

削 **第二版**(1974・昭49)。語義㊁が目を引く。芥川龍之介の随筆「赤大根」(1923)の主題はまさにこれ。

削 **第二版**(1974・昭49)。赤い色の電車ではない。「赤電」とも。「青電(車)」(終電の一本前)も削除。

削 **第五版**(2001・平13)。1953年に登場し、好評を博した。「赤電」とも。青電話、黄電話もあったが、95年に姿を消して緑電話だけとなった。

削 **第七版**(2014・平26)。第二版の注付き用例が昇格。第四版までは「アズキを入れてたいたごはん」の語義も。

削 **第二版**(1974・昭49)。他書が掲載続行するなか早々と削除。固有名詞は載せない方針で㊁は削除対象となり、残る㊀も自明ゆえ廃項、という独自判断か。

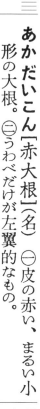

アしきしゅうきゅう［ア式〈蹴球〉］（名）〔←アソシエーション フットボール（association football）〕サッカー。

アジびら（名）左翼（サヨク）運動者の宣伝びら。⇩：アジ。

あせも［（汗×疹）・（汗×疣）］（名）●**―のより**［（汗×疹の×縒り）］（連語）あせもが固まってうみを・もった（もちかかった）もの。赤んぼうに多い。

↑**あつ・い**［熱い］（形）●**熱い戦争** 句 武器を使う戦争。（↔冷たい戦争）

アトミック―（造語）〔atomic〕原子力の。「**―**エージ〈＝原子力時代〉」

削 **第二版**（1974・昭49）。東大、早大など運動部の名に今も見られる。同版から「サッカー」の項に同義語として載る。

削 **第七版**（2014・平26）。同版からは「アジ」の注付き用例に。明国では「左翼運動者の宣傳びら」で、語釈本文は全く変わっていない。

削 **第七版**（2014・平26）。おできの一種。

削 **第七版**（2014・平26）。早くも初版から「熱い」の注付き用例として登場し、第三版から「冷たい戦争」とともに立項。現在も残る「冷たい戦争」を尻目に退場した。

削 **第七版**（2014・平26）。1952年、松竹歌劇団のラインダンス隊が「アトミック・ガールズ」に改称。「ア

あとやま【後山】(名) 坑内(コウナイ)で、ほった石炭を炭車まではこぶ役の人。(↔先山(サキヤマ))

あねさまにんぎょう【姉様人形】(名) 千代紙を折って花嫁(ハナヨメ)姿の人形に作ったもの。あねさま。

アバンゲール(名)〔フ avant-guerre〕(第二次世界大戦)戦前。戦前派。(↔アプレゲール)

トミック」を冠する掃除機も現れるなど原子力時代到来を感じさせた。

削 **第七版**(2014・平26)。対義語「先山」も同時に削除。

削 **第八版**(2022・令4)。既製品ではなく、各家庭で母親が娘のおもちゃとして折った。これを使ったままごとは「姉様遊び」。

姉様人形

削 **第二版**(1974・昭49)。「アプレ(ゲール)」(=戦後(の、がらのわるい青

あほ・る【〈×煽る〉】(他五)〔俗〕あおる。名 あほり。

アマゾン(名)〔Amazon〕①〔ギリシャ神話で〕勇猛(ユウモウ)な女性だけの種族。②〔俗〕男まさりの女性(の軍団)。▽アマゾネス。

あみ カーラー【網カーラー】(名) 髪(カミ)の形を整えるために、髪に巻きつける道具。

あみだ【〈阿彌陀〉】(名) **―かぶり**【〈阿彌陀〉被り】(名・他サ) 帽子などを、頭のうしろにかたむけて かぶること。あみだ。

アメしょん(名)〔アメ↑アメリカ、しょん↑しょんべん

少年〕」と併せて姿を消した。

削 **第六版**(2008・平20)。歴史的仮名遣い「あふる」の文字読みに引かれた、誤類推。明国改訂版で立項された「あふる」も第六版で削除。

☞ほのほ(198ページ)

削 **第七版**(2014・平26)。第三版で「アマゾネス」が立項され、〔Amazonの複数形Amazonesを女性形と誤解？〕という疑問形の注記を付して本項を参照させていた。

削 **第七版**(2014・平26)。第二版～第三版は「網カラー」。

削 **第二版**(1974・昭49)。同版からは「あみだ㈡」に説明を譲った。本来、阿弥陀仏の後光のように帽子の前方を上に傾けてかぶる意だが、単に曲がったかぶり方にも言うのが実情。

削 **第七版**(2014・平26)。初版は「ア

〔小便〕〔俗〕ちょっと用をたしてきただけの、無益なアメリカ旅行。

あんてい［安定］（名・自サ・形動ダ）

●**━しょ**【安定所】（名）↑公共職業安定所。

いかけ【鋳掛け】（名）銅器や鉄器の こわれたところには んだを流し込んで つぎあわせること。「━屋」

いカタル【胃カタル】（名）〔医〕胃炎（イエン）。

いしゅうけん【胃集検】（名）〔医〕胃がんを発見するための、胃の集団検診（ケンシン）。

いせいかつ【衣生活】（名）着るものについての生活。

イタセクスアリス（名）〔ラ vita sexualis〕〔イタ＝生活、セクスアリス＝性の。森鷗外（オウガイ）の小説の題

メション」。１９２０年代からの語で、「イギしょん」「フラしょん」なども派生した。戦後再び流行語に。

削**第七版**（2014・平26）。初版は「あんていじょ」。愛称「ハローワーク」は１９９０年から使われる。

削**第二版**（1974・昭49）。いかけ屋は昭和の頃「いかけぇー」と声を上げながら町内を自転車で回る身近な修理業者だった。第六版から再収録。

削**第七版**（2014・平26）。

削**第七版**（2014・平26）。１９５０年代から実施。

削**第二版**（1974・昭49）。入れ代わりに「食生活」が採録された。「住生活」は三国に入ったことはない。

削**第八版**（2022・令4）。煽情的なコピーやタイトルなどに見られた。

「ヰタ・セクスアリス」から〕個人の、性的体験の経歴。

いちこう【一高】(名)↑第一高等学校。いっこう。

いちてっこく【一敵国】(名) あなどることのできない・相手(勢力)。「―を成(ナ)す」

いちばん【一番】(名)

―かん【一番館】(名) 最初に封切りをする映画館。ファーストラン。

いちめん【一面】(名)

―きょう【一面鏡】(名) 縦に長い鏡を一枚取り付けた、けしょう台。姿見(スガタミ)。鏡台(キョウダイ)。

いちろくぎんこう【一六銀行】(名)〔古風・俗〕質屋(シチヤ)。〔一＋六＝七のしゃれ〕

削**第二版**(1974・昭49)。一般名ではなく旧制第一高等学校(東大の前身のひとつ)の意か。「一中」も削除。

削**第六版**(2008・平20)。同版から「敵国《てっこく》」の項に「一敵国を成す」の用例が載る。初版までは「いってきこく」で載っていた。

削**第二版**(1974・昭49)。このころ映画に関する項目は多かった。「二番館」も同時に削除。

削**第五版**(2001・平13)。現在も立項される「三面鏡」より遅く採録され、先に消えていった。

削**第八版**(2022・令4)。明国の前身の小辞林(1928)からある。

いっさん【一産】（名）〔動物の〕一回の出産。「ブタは一六子（ロクシ）から十子がふつうだ」

→いどう【移動】（名・自他サ）●**ーでんわ**【移動電話】（名） 無線を利用して・移動中（移動する車の中）の人が使う電話。

いとひめ【糸姫】（名）〔俗〕製糸工場の女工。

削 **第六版**（2008・平20）。

削 **第七版**（2014・平26）。民間用の自動車電話（☞挿絵）は1979年、ショルダーホン（NTTドコモ）は85年に登場。類語「移動体通信」は第四版で立項され、語釈は「携帯電話や自動車電話などを使って…」だった。第八版は「スマートフォンなど…」となっている。

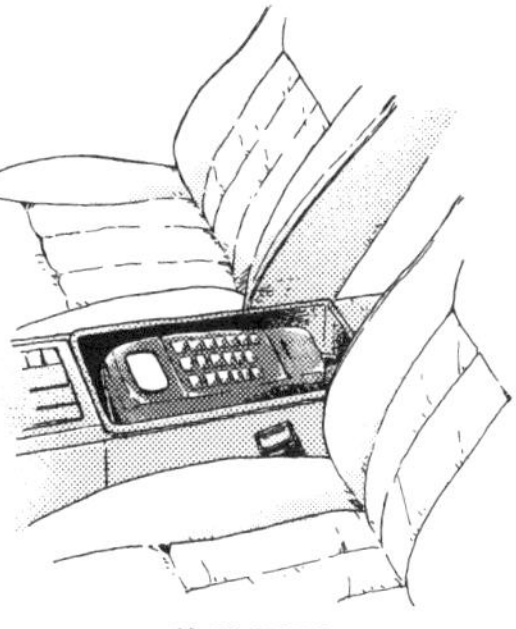
移動電話

削 **第二版**（1974・昭49）。朝鮮戦争の

いどべい【井戸塀】ヰドー（名）〔俗〕政治活動に財産を使いはたし、あとに井戸とへいしか残らないこと。「—議員」

いぬはりこ【犬張り子】（名）犬の形をした、張り子のおもちゃ。

いもばん⓪【芋版】（名）さつまいもを輪切りにし、文字・図案などをほりつけた・もの（図版）。

いやちこ（形動ダ）〔文〕いちじるしい。ひじょうに あきらかだ。あらたか。「霊験（レイゲン）—」

いやもて【嫌（持て）】（名・自サ）心では きらわれながら、うわべは よく もてなされること。

特需で繊維業界は好況に沸き、製糸工場で働く若い女性が多く現れた。「織り姫」とも。

削 **第八版**（2022・令4）。他書には「政治には金がかかることのたとえ」などとあるが、政治に身代を費した熱心さ・清廉さに言うことも多い。

削 **第三版**（1982・昭57）。昭和の家庭でテレビの上や玄関にあった置き物の定番。

削 **初版**（1960・昭35）。すぐに第二版で復活。削除は判断ミスか。芋のハンコで「芋判」の表記例が多々あるも、三国を含め辞書に載らない。

削 **第六版**（2008・平20）。明国には漢字表記「灼然」あり。

削 **第六版**（2008・平20）。

い

→**いれこ・む**【(×煎れ)込む】(自五)〔俗〕あせる。あわてる。いりこむ。

いろ【色】(名) ●**色との二筋道**（フタスジミチ）句 金持ちの女性に言い寄って、その人と財産の両方を手に入れようとすること。

インクライン（名）〔incline=斜面（シャメン）〕斜面にレールを敷（シ）き、台車をひっぱって荷物を上げ下げする装置（ソウチ）。

いんじ【院児】（名）〔福祉施設（フクシシセツ）などの〕院と呼ばれる所にはいっている児童。

いんじゅ【印〈綬】（名）官職や位のしるしをさげる、組みひも。「首相の―をおびる」

インデアペーパー（名）〔India paper〕薄い真っ白

削**第六版**（2008・平20）。第四版で「入れ込む③」に載った「競走馬が、気負ってそわそわする」意に通じる。

削**第八版**（2022・令4）。「二筋道」はずっと載っているが、二兎を得ようとする語義はない。

削**第三版**（1982・昭57）。貨物用のケーブルカー。「京都にあったものが有名」と広辞苑・大辞林・大辞泉が口を揃える。

削**第六版**（2008・平20）。かつては「孤児院」「教護院」と呼ばれた施設があり、現在の名称は各「児童養護施設」「児童自立支援施設」。

削**第二版**（1974・昭49）。「印綬を帯びる」（官職につく）という慣用句は今も見られ、載せる辞書は多い。

削**第二版**（1974・昭49）。もともと中国の紙を模して西洋で製造したものな西洋紙。辞書・タバコの巻き紙などに使う。インデアン ペーパー。

インテル⓪［inter］（名）㊀活字の行間・字間をあけるためにはさむ物。㊁インテリのなまり。

ウォームビズ（名）〔warm biz《←business》〕〔省エネのために〕冬、職場で、重ね着をするなど、あたたかい服装をすること。ウオーム ビズ。〔二〇〇五年、環境（カンキョウ）省が提唱〕（↔クール ビズ）

うきドック［浮きドック］（名）船をのせて、水の上で作業するように作ったドック。（↔乾（カン）ドック）

☆☆**うきよ**［浮き世］（名）

―ぶろ［浮世風〈呂〉］（名）〔俗〕銭湯（セントウ）。

を「東洋の紙」の意味でこう称したようだ。聖書の用紙(bible paper)でもある。初版の語釈は最初「じょうぶで薄い」だったが、第37刷(1964年4月25日発行)で「じょうぶで」が抹消され、上掲のものに変更された。

削**初版**(1960・昭35)。㊀は印刷用語で、「込め物」の一種。半導体メーカーではない。

削**第八版**(2022・令4)。環境省の当初の表記は「ウオームビズ」。クールビズと同じ年に始まり、公募された名称から、「熱心な、元気活発な」の意味もあるwarmが選ばれた。

削**第七版**(2014・平26)。明国の漢字表記は「浮船渠」。☞乾ドック(54ページ)

削**第五版**(2001・平13)。江戸時代には、遊女が客をもてなす風呂屋のことを言った。

うけもどし【請け〈戻し】(名・他サ) 代金を払って質(シチ)にはいったものを取りもどすこと。

うた【歌・×唄】(名) ●**歌を歌う** 句 人に知ってもらうように(それとなく)言う。

うたぼん【歌本】(名) 歌謡(カヨウ)曲(の歌詞)がのっている本。「カラオケ店の—」

うでたまご【〈茹で卵】(名) ゆでたまご。

ウナ(名) もと、至急電報の略号。「—電」

うみほおずき【海・酸漿】—ホホヅキ(名) てんぐにしと

削 **第二版**(1974・昭49)。質屋の店舗数のピークは1958年だった。

削 **第六版**(2008・平20)。初版〜第二版ではこの句が「歌う」のブランチにあった。

削 **第八版**(2022・令4)。歌いたい歌の番号を本で探してカラオケ機器に入力した。タッチパネル機器の普及で消えた。よく言う「デンモク」は登録商標。

削 **第二版**(1974・昭49)。昭和感あふれる語。「うでる」は第八版まで消えずにある。

削 **第七版**(2014・平26)。和文モールスで「ウナ」は「u・r」に対応し、urgentを意味する。「すぐ効く」の意で命名された痒み止め「ウナコーワ」は1968年発売。

削 **第二版**(1974・昭49)。子供が鳴らいう貝の卵の袋(フクロ)で作ったほおずき。

ウラー〔感〕〔ロ ura〕ばんざい!

うらにほん【裏日本】〔名〕《地》「日本海側」の古い言い方。本州の、日本海に面する地方。(↔表日本)

うらやすのくに【浦安の国】〔名〕〔古〕〔浦安は、安心〕日本の、別の呼び名。

して遊ぶ玩具として、「昔、縁日には決まって見かけた」(新明解国語辞典第八版)。

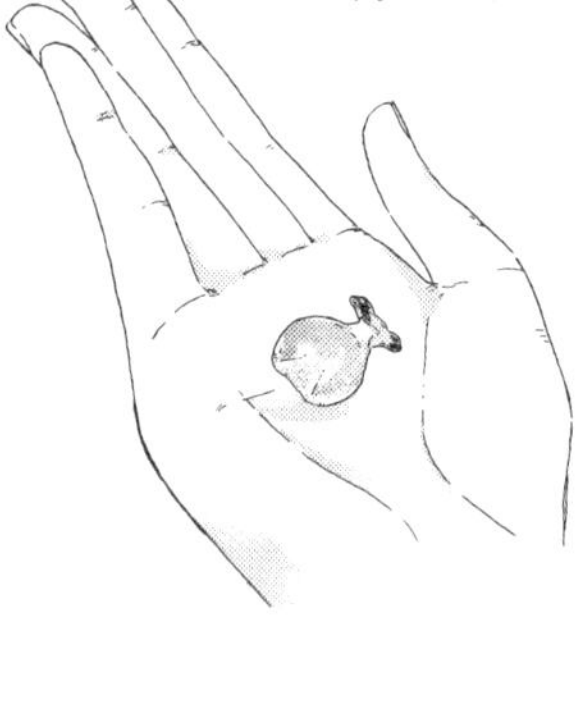

海ほおずき

削**第六版**(2008・平20)。兵士が突撃する際などに上げる声。

削**第八版**(2022・令4)。明治期から言われたが、蔑視的な響きもある。

☞表日本(41㌻)

削**第二版**(1974・昭49)。千葉県浦安市にあるあのテーマパークではない。

☆☆**ウルトラー**（接頭）〔ultra〕●｜**マン**（名）〔和製英語 Ultraman〕 ＳＦテレビ映画「ウルトラマン」の主人公。宇宙から地球に来て、正義のために怪獣（カイジュウ）たちとたたかう。

ウンシャン⓪（名）〔ド unschön（ウンシェエン）のなまり〕美人でない・こと（女）。

うんゆ〔運輸〕（名）

削**第六版**（2008・平20）。「ドンキホーテ」（☞153ページ）のような一般語に派生した用法でなく作品自体を採録して説明するのは、三国では異例。

ウルトラマン

削**初版**（1960・昭35）。昭和初期の学生語。語根「シャン」は今も辞書に残る。「全体に美人《シャン》という程でもなく不美人《ウンシャン》という程でもない」（夢野久作『東京人の堕落時代』1925）

削**第五版**（2001・平13）。同版刊行年に運輸省は国土交通省に再編。

ーだいじん【運輸大臣】(名)〔法〕国務大臣のひとりで、運輸省の長官。

「運輸相」も削除。

エア①〔air〕(名)

ー・ボオイ③〔air-boy〕(名)旅客飛行機に乗って乗客の世話をする男。

削 **明国改訂版**(1952・昭27)。のちのスチュワード(☞117ページ)、現在のキャビンアテンダントで、「エアガール」の対義語。明国独自の項目だったか。

エアコンディショナー(名)〔air conditioner〕①エアコンディショニング装置。②⇩クーラー①。▽エアコン。

削 **第七版**(2014・平26)。語釈を略語の「エアコン」に譲り、もとの形としてのみ姿を留める。第二版〜第三版の「エアコン」は「エアコンディショニング」の意味が筆頭であった。

エアシュート(名)〔air shoot〕書類をパイプの中に入れ、圧縮空気の力で送る装置。

初版(1960)のこの語釈だと、まるで書類をそのままパイプに押し込むように読める。本当は、「気送子《きそうし》」というパイプの内径に合うカプセルに書類などの荷物を詰め、パイプの中を飛ばして送るのである。

第二版（1974・昭49）で早くも姿を消したが、製品は今でも製造・販売され、病院などで運用されているようだ。しかし、ふつう最もなじみ深いのは、言わずもがなラブホテルの会計をやり取りする装置としてであろう。ラブホによっては現役なんだとか。

「古い事物こそ辞書に残す意義があるのでは」といった疑問も聞かれるが、三国の場合は時代に寄り添う性質が著しく強いので、現代語かどうかが採用の分かれ目となりうる。同じ三省堂発行の辞書でも、新明解国語辞典には「エアシュート」、大辞林には「エアシューター」として項目が載り続けている。「消えたことば」という差分が、辞書の方針を如実に物語る。

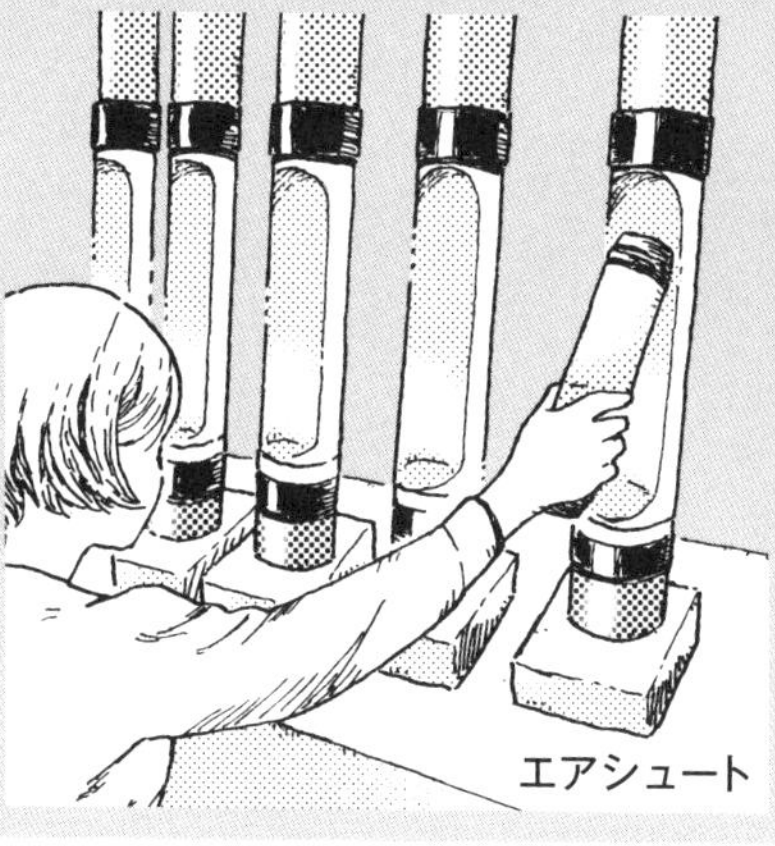

エアシュート

エアバス（名）〔airbus〕中・長距離用の大型ジェット旅客機。

削 **第七版**（2014・平26）。もとは一般名詞だったが、二大航空機メーカーの一社が有名になり、固有名詞化。

えいだん【営団】(名)〔↑経営財団〕第二次大戦中、公共事業の経営のために作られた財団。戦後、帝都(テイト)高速度交通営団(=営団地下鉄)が残ったが、二〇〇四年、東京地下鉄株式会社となる。

えいりん【営林】(名・自サ)

●**ーしょ**【営林署】(名) 国公有林の経営にあたる役所「森林管理署」の、もとの呼び名。

エーディーエスエル【ADSL】(名)〔↑asymmetric digital subscriber line〕家庭の電話線を使って、高速でインターネットにアクセスできる通信サービスの方式。非対称(ヒタイショウ)デジタル加入者線。

エービーシー【ABC】(名)

●**ーかさい**【ABC火災】(名) 木・紙・布などがもえる、ふつうの火事(A火災)、ガソリン・油がもえ

削**第八版**(2022・令4)。「経営財団」と構成要素の後方を残した略語なのが珍しい。

削**第八版**(2022・令4)。1920年代に大・小林区署が営林局・営林署に改組。99年に林野事業改革で森林管理局・森林管理署などに改組されて廃語となった。

削**第八版**(2022・令4)。ヤフーがルータを無料配布する激しい営業攻勢もあって2000年頃に普及し始め、01年は「ブロードバンド元年」とされた。NTT、ヤフーのADSL回線は23～24年に終了予定。

削**第六版**(2008・平20)。「消火器の技術上の規格を定める省令」(1964)で規定され、すべてに対応する消火器を「ABC消火器」と呼ぶ。

る火事(B火災)、電気の故障で起こる火事(C火災)をまとめた呼び名。あらゆる種類の火事。

えきゆう【益友】(名)〔文〕つきあって ためになる ともだち。

エコセメント(名)〔和製 eco cement〕都市ごみを焼いた灰や、乾燥(カンソウ)させた下水汚泥(オデイ)を加えてつくったセメント。

エコマネー(名)〔和製 eco money〕地域通貨の一つ。ものの売り買いだけでなく、清掃(セイソウ)活動などの対価にも使われる。

エスご【―語】(名) エスペラント。

エスさま【エス様】(名) イエス(キリスト)をうやまっていうことば。イエス様。

エムオー【MO】(名)〔←magneto optical disk〕レーザー光線を当てながら情報を読み書きする、コンピ

削**第二版**(1974・昭49)。対義語「損友」は記載なし。

削**第八版**(2022・令4)。1990年代に実用化され、2001年に製造工場が稼働。

削**第八版**(2022・令4)。1998年から言われ始めた語で、エコロジー(環境保全)を念頭に置いていた。

削**第三版**(1982・昭57)。☞和エス(239ページ)

削**第二版**(1974・昭49)。規範的な語形「イエス様」を見出し語に選んでおらず、用例採集の跡が窺える。

削**第七版**(2014・平26)。大容量の記憶媒体として登場したが標準化せず、CD-Rなどに押されて衰退。

ューター用の磁気記憶《キオク》装置。光磁気ディスク。

エムディー【ＭＤ】（名）①〔↑Mini Disc＝商標名〕デジタル録音・再生のための、直径六・四センチのディスク。「―プレーヤー」②〔↑missile defense〕⇩ミサイル防衛。

第五版(2001)で採録。ＭＤレコーダーの生産期間は１９９２年～２０２０年で、家電量販店でも見かけなくなったことから知らない世代が増えつつあり、第八版(2022・令4)で②(ミサイル防衛)もろとも廃項となる。他の記憶媒体では「ＭＯ」(☞前項)、「磁気テープ」(☞100ページ)、「レーザーディスク(ＬＤ)」(☞231ページ)が一つ前の第七版(2014)で削除されている。

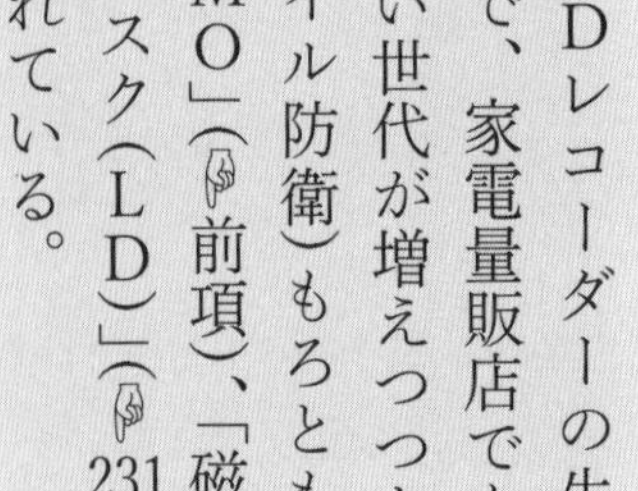

MD①

見出し語に残る媒体もある。「フロッピーディスク」は一例で、自治体や地銀の一部では現役である。Wordなどのソフトウェアではファイル保存時のアイコンにフロッピーディスクの姿が見られ、下駄箱や吊り革の「下駄」や「革」のような力も思わせる。もっとも次の改訂ではどうなるか、予断を許さない。例えば2022年に北海道新聞は、電話番号の情報を表す黒電話マーク「☎」の取りやめに踏み切っている。

「レコード」や「カセットテープ」はブームの再来もあり、辞書からも当面なくならないだろう。「蓄音機」「電蓄」「ジュークボックス」「ターンテーブル」「ドーナツ盤」「ラジカセ」「SP」「LP」「A面」「B面」など、その文化を語るのに欠かせない語が第八版でも載っている。「レコード会社」なる言い方は未だに健在だし、「大賞」の用例にもある「日本レコード大賞」の名称も変わる気配がない。

しかし、そもそも辞書から消えたのでその語はもう使用禁止だとか、逆に辞書が載せたからその語は公認されたとか、決して辞書にそんな権限があるのではない。項目の不在によって、その語が指すモノやコトへの思い入れが否定されるわけでもない。「消えたことば」すべてに同じことが言える。辞書に「ＭＤ」がなくなったとて、ＭＤは変わらずＭＤである。

↑えんとう【円×壔】（名）《数》円柱の古い呼び名。

えんぽん【円本】（名）もと、一円均一（キンイツ）の本。

オアズマン（名）〔oarsman〕〔ボート レースなどの〕ボートのこぎ手。〔「ボート マン」は俗称（ゾクショウ）〕

おいそがし（名）〔俗に「オイソガ氏」と書く〕〔「忙（イソガ）し」を擬人化（ギジンカ）した語〕仕事に追われていつも忙しく過ごしている人。

削 **第八版**（2022・令4）。初版で一度消えて、第二版で復活した際の語釈はもう「古い呼び名」であった。

削 **第二版**（1974・昭49）。昭和初期に大流行した廉価な全集ものの本。近距離を１円の固定料金で走る「円タク」になぞらえて言った。昭和12年の公務員の初任給は75円。

削 **第七版**（2014・平26）。「ボートマン」は遅れて第八版で削除。

削 **第六版**（2008・平20）。何とも軽薄な語感が漂う。ラジオドラマ「オヤカマ氏とオイソガ氏」は古く１９５７年から放送されていた。

オート〔米 auto〕―さんりん(しゃ)【―三輪(車)】(名) 荷物をはこぶ、小型の三輪自動車。

安価で低燃費な小回りのきく庶民の貨物輸送手段として戦前・戦後に大流行し、「オートバイ三輪車」「三輪オートバイ」「自動三輪車」や単に「オート」とも呼ばれた。終戦した1945年には小型三輪トラックの登録台数は3万台だったが、50年に12万台、58年に50万台突破と急伸した。50年代後半から軽三輪がブームとなったものの、以降は馬力・最高速度・積載量で勝る四輪のトラックに市場を奪われていった。78年時点で三輪トラックの登録は小型・軽合わせ3万台にまで激減。三国は第四版(1992・平4)で項目を削除した。

オート三輪

が、「三輪」の用例には「オート三輪」が残っていた。項目の地位を失っても、真に「消えたことば」になるとは限らず、実は辞書のどこかに語形を留めているというのは頻出パターン。その間のグラデーションを味読したい。その後、2000年代の「昭和ブーム」の影響か、消えた「オート三輪」は第七版(2014)で復活した。オート三輪には本来大きな車種もあるが、昭和ブームでは、本項の挿絵のような60年代全盛の軽三輪トラックがもっぱら人気。

オートマット（名）〔ド Automat〕シャッターやフイルムの巻き取りなどの、自動調整のしかけ(を持ったカメラ)。

おおども【大供】オホー（名）〔俗〕おとな。（↔子ども）

おこう【汚行】（名）〔文〕道徳に反したおこない。

おことぞえ【(▽御)言添え】ーコトゾヘ（名）うまくい

削 **第二版**(1974・昭49)。1950年代の国産カメラの名に多い。テレビや腕時計の商品名にもあった。

削 **第五版**(2001・平13)。今なら「大きなお友達」とでも言うところか。「子供も大供も中供も」(寺田寅彦「LIBER STUDIORUM」1930)

削 **第八版**(2022・令4)。

削 **第七版**(2014・平26)。実例がほとくように、ことばを かけてもらうこと、の尊敬語。「—をお願いします」

おじさま【(小▽父様)】ヲヂー (名)〔特に若い女が〕中年以上の男性を したしんで呼ぶことば。

おしまわ・す【押し回す】ーマハス (他五) ㊀「まわす」を強めていうことば。㊁(車などに乗って)おおげさに訪問する。㊂さかんに あるきまわって活動する。

おしゃべ【(▽御×喋)】(名)〔女〕よくしゃべる人。

おしゃます (連語)〔俗〕おっしゃいます。「ねこじゃねこじゃと—な」

おすべらかし (名) 婦人のさげ髪(ガミ)の一種。前髪を横に張り、もとどりを うしろにすべらせて長く下げる。今は皇族が正式の服装をするときの髪。

おっと・る【押っ取る】(他五)〔俗〕急に手に取る。「警」「棒押っ取って」

んど見当たらないとして削除された。

削 **第六版**(2008・平20)。1版遅れて第二版から立項された「おじさん」の項目内に同義語として吸収された。

削 **第二版**(1974・昭49)。㊁の語義がいまひとつイメージしにくい。

削 **第八版**(2022・令4)。

削 **第二版**(1974・昭49)。例文は江戸・明治に流行した「おっちょこちょい節」。

削 **第二版**(1974・昭49)。最終文が由緒ある髪型と現代を接続していて良い。今でも皇后陛下が祭祀に臨む際はこの髪型であり、第八版には挿絵入りで再収録。

削 **第二版**(1974・昭49)。「おっとり

おとどり【音取り・音▽録り】(名)〔音声の部分だけの〕録音。

おとりぜん【《御とり〈膳〉】(名)〔俗〕男女ふたりが一つのおぜんで、さしむかいになって食べること。

オナペット(名)〔↑オナニーのペット〕〔俗〕男性がオナニーのときに思いうかべる特定の女性(の写真)。

おねば【《御粘】(名)飯の煮(ニ)えたとき できる、ねばねばした しる(汁)。

おはね【お跳ね】(名)〔女〕おてんば(むすめ)。

オフィス(名)〔office〕●**ーワイフ**(名)〔office wife〕〔俗〕〔情事の相手としての〕女性秘書(ヒショ)。

オフコン(名)〔↑オフィス コンピューター〕事務処

刀」の「おっとる」。この動詞を知っていれば「おっとり刀で」を「ゆっくり」と誤解することはない。

削**第六版**(2008・平20)。

削**第三版**(1982・昭57)。なぜか「とり」(取り)が平仮名表記で立項。

削**第七版**(2014・平26)。性俗語のため削除されたか。

削**第二版**(1974・昭49)。乾くと釜に貼りつく。今でも使う語ではないか。

削**第八版**(2022・令4)。

削**第六版**(2008・平20)。昭和初期からあることば。情婦でなく単に重役の身の回りを世話する女性事務員を指すとする辞書もある。

削**第七版**(2014・平26)。第三版では「ごく小型のコンピューター」という理用のコンピューター。

オペレーション (名)〔operation〕

オペレーションズリサーチ (名)〔operations research〕経営を科学的・計画的におこなうための調査や研究。

おもて［表］(名)

●**―にほん**［表日本］(名)《地》「太平洋側」の古い言い方。本州の、太平洋に面する地方。(↔裏日本)

おんな［女］ヲンナ (名)

●**女の腐《クサ》ったよう** 句 よわよわしくて、はっきりしない男をののしって言うことば。〔無神経なことば〕

おんな［女］ヲンナ (名)

―だてら［女だてら］(名) 女にも似合わないこと。「―に〔‖女のくせに〕」

語釈。企業の事務処理を支えたがパソコンの普及で衰退。

削**第七版**(2014・平26)。第二次大戦でイギリスがこの技法を用いて効率的に軍事計画を進めた。

削**第八版**(2022・令4)。「裏日本」(☞28ペ)と比べると明らかに用例数が少ない。

削**第八版**(2022・令4)。旧弊な表現だとして削除。ただし残念ながら使用例は今でも見つかる。

削**第五版**(2001・平13)。「だてら」単体は明国から立項されており、単なる複合語として削除したものか。明国改訂版の見出し語形は「女だてらに」。

明国 1 ― 改
三国 1 ― 2
3 ― 4
5 ― 6
7 ― 8

かきくけこ

ガ【‥瓦】(名)〔広告で〕↑ガス(瓦斯)。「電〔=電気〕—水〔=水道〕」

カーきち【カー〔▽狂〕】(名)〔car〕〔俗〕自動車きちがい。

がいきゃく【外客】(名)〔文〕外国から来た客。がいかく。

かいじょう【海上】(名)
—トラック【海上—】(名)ごく小型の貨物船。

ガイド(名・他サ)〔guide〕
●**—ウェー**(名)〔guideway〕(列車などを)一定の方向にみちびく案

削**第五版**(2001・平13)。見坊豪紀は住宅広告から「ガ水完」なども採集していた。

削**第六版**(2008・平20)。造語成分「—きち」は第二版で載り現存するも、第七版まであった用例「カーキチ」は第八版で「トラキチ」に交代。

削**第八版**(2022・令4)。1930年代と60年代、五輪大会がらみで「外客誘致」が盛んに叫ばれた。入れ代わりで「インバウンド」が採録。

削**第三版**(1982・昭57)。「海トラ」とも。1930年代に大きく普及。

削**第八版**(2022・令4)。第四版〜第六版は「ガイドウエー」。リニアモーターカーや、新交通システムの専用内レール。「ーシステム〔＝ハンドル操作なしで走れる交通システム〕」

かいにんそう【海《仁草】〔名〕〔植〕黒むらさき色の海草。茎(クキ)はまるい。回虫をくだすときに使う。かいじんそう。

かいへい［開閉］〔名・他サ〕

バスなどに用いられる。

削 **第二版**（1974・昭49）。「まくり」（☞201ページ）の別名。戦後、衛生事情や薬不足などで6割を超えた回虫卵を持つ人の割合は、同版刊行期までに1パーセントを切るほど改善。駆虫の特効薬も辞書から消えた。

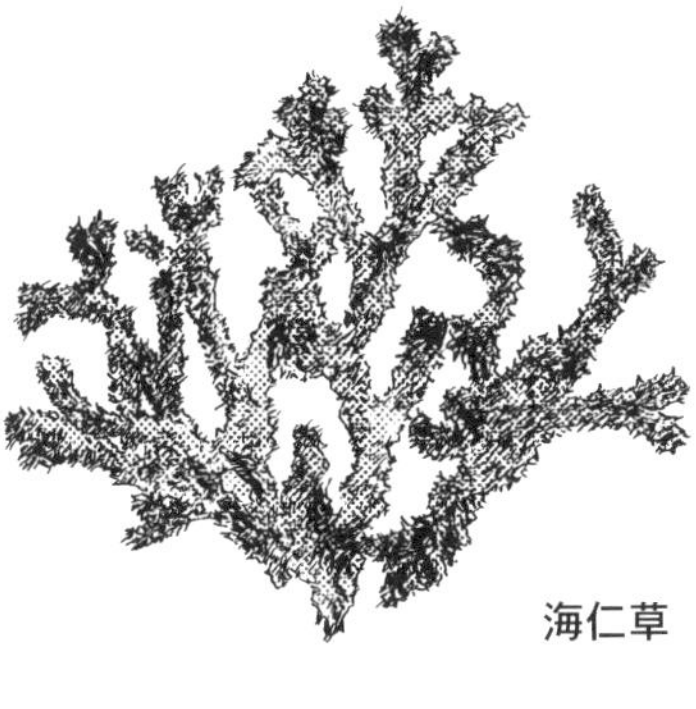

海仁草

削 **第七版**（2014・平26）。初版は「開

●**ーき**〔開閉機〕(名)〔踏切(フミキリ)で〕上げ下げして、交通を いちじ とめる しかけ。遮断(シャダン)機。

かがく〔科学〕(名・自サ)

ーてきしゃかいしゅぎ〔科学的社会主義〕(名) マルクス(Marx)・エンゲルス(Engels)の となえた社会主義。史的唯物(ユイブツ)論に もとづき、歴史や現実社会を科学的に認識しようとする。

かぐやひめ〔かぐや姫〕(名)〔俗〕〔竹取物語の女主人公の名から〕長い間子どもをほしがっていた(中年の)夫婦(フウフ)に、さずかりもののように生まれた はじめての女の子。

カザック(名)〔ロ kazak〕コサック。

閉器㊁」として扱われた。㊀はスイッチで、この意味での「開閉器」は第八版でも残る。

削**第二版**(1974・昭49)。世相を反映して、社会主義思想に関する項目は多かった。初版初刷～第8刷(1961年6月10日発行)には反対語(↕空想的社会主義)が添えられていた。

削**第六版**(2008・平20)。「ドンキホーテ」(☞153ページ)同様、作品の説明はせず、比喩的な用法のみを扱っているのは小型辞書としての編集方針によるもの。

削**第四版**(1992・平4)。明国「甚だ勇悍」、明国改訂版「非常に勇敢で、すばやい」、三国初版「勇敢で、馬に乗るのがうまい」と説明。第二版以降は「コサック」への空項目。

かしかんだんけい【(:華)氏寒暖計】(名) ファーレンハイト(Fahrenheit)の考案した寒暖計。水の氷（ヒョウ）点を三十二度、沸（フッ）点を二一二度とする〔記号F〕。

かしーじどおしゃ④【貸自動車】ードウー(名)↓「タクシイ。」

☆☆**カジュアル**〔casual=略式の〕 ●**ーフライデー**(名)〔米 casual Friday〕金曜日を、カジュアルな服装で会社に出勤できる日にしようという運動。

かす(名)〔俗〕こごと。「ーを食う」

か・せる【(×痂せる)】(自下一)〔きずがなおって〕表面がかわく。「おできがー」

かぞく①〔家族〕(名) **ーあわせ**④【家族合(わ)せ】(ーアハセ)(名) 明治の末に始まった家庭の遊びの一つ。五十枚【=十家族分】の札を分配し、早く一家族分をそろえた方が勝ち。

削 **第六版**(2008・平20)。初版の第1表記は「カ氏寒暖計」。☞摂氏寒暖計(123ページ)

削 **明国改訂版**(1952・昭27)。レンタカーの意味もあった。

削 **第八版**(2022・令4)。1990年代にファッション業界から提案されたが定着しなかった。

削 **第八版**(2022・令4)。明国改訂版には「叱」の漢字表記あり。

削 **第七版**(2014・平26)。

削 **初版**(1960・昭35)。英国から伝来した遊びで、人の顔・名前・職業などが書かれた専用のかるたを用いた。

かそぶつ【可塑物】(名) ⇩プラスチック。

かたおか【片丘・片〈岡〉】ーヲカ (名) 丘としての かっこうの わるいもの。

家族合わせ

削**第八版**(2022・令4)。明国から第七版まで一貫して「プラスチック(ス)」への空項目だった。

削**第二版**(1974・昭49)。具体性に欠ける語釈だが、稜線の左右対称でない丘を言ったもの。新明解国語辞典では「丘としての特徴が はっきり見られない高所」とするが、これも不思議な感じ。

かたかまやり〔片鎌（×槍）〕（名）穂（ホ）の左右のどちらかに、鎌のような枝のあるやり。

［かたかまやり］

―がたな・い（接尾）〈形容詞をつくる〉〔文〕がたい。「忘れ―」

かため〔片目〕（名）●**片目を入れる** 句 〈選挙で〉当選した祝いに、片目のだるまに、残りの片目を入れてしあげる。自動 片目が入る。

がちゃ ①（名）〔俗〕㊀西洋くぎ抜きの俗称。くぎの頭にあて、（金づちで）たたくようにしてぬく。㊁警官。〔もと、剣をつっていたから〕

カチューム（名）〈和製 ←Katyusha＋オ gom〉カチ

削 **第八版**（2022・令4）。「三国には不要な項目ではないか」という読者の指摘が活かされた。

削 **第八版**（2022・令4）。

削 **第八版**（2022・令4）。いわゆる「目入れ」。勝利を誓って最初のひと目を描く場面で言う例も多い。

削 **初版**（1960・昭35）。㊀は、釘の頭を爪にかけてスライダーで押し叩き、爪を板に食い込ませてから、くわえて抜く。20世紀初頭の陸軍の報告書には例が見える。用例採集の成果と思しいが、あっけなく削除。

削 **第八版**（2022・令4）。あっさり削

ユーシャのように見える、ゴムでとめるヘア バンド。〔二〇一〇年から流行〕

カチリ（名）〔↑カルボール チンクリニメント（ド Karbolzinkliniment）〕《医》〔俗〕水ぼうそうのかゆみを止める塗(ヌ)り薬。

かつがつ（副）〔文〕かろうじて成功するようす。やっと。かつかつ。「及第点(キュウダイテン)ーだ」

☆☆**カット**（名・他サ）〔cut〕 ●**ーにく**【カット肉】（名） ヒレ・ロースなどの部分に分けて切った肉。

かっぱと（副）急に・前に倒れる(起きあがる)ようす。

かてい⓪【家庭】（名）

除しすぎではないか。

削 **第八版**（2022・令4）。かつては石炭酸亜鉛華糊膏とも。

削 **第六版**（2008・平20）。同版から「かつかつ」の語釈が「限度ぎりぎり」「どうにかこうにか、やっと」となった。明国～改訂版には「且且」の漢字表記あり。

削 **第六版**（2008・平20）。卸売りの時点でカットされた肉は1950年代にプリマハムが発売し、70年代に普及。

削 **第二版**（1974・昭49）。「その場でかっぱと仆《たお》れ」（井上ひさし『手鎖心中』1972）

削 **初版**（1960・昭35）。昭和初期に生

ーそおぎ④［家庭争議］ソウー（名）〔俗〕家庭内の争い。夫婦げんか。

かーてえ⓪［家庭］ーテイ（名）

ーやき⓪［家庭焼］（名）今川焼。

かと［家〈兎〉］（名）〔動〕いえに飼（カ）うウサギ。肉・毛・毛皮を利用する。かいうさぎ。（↕やと《野兎》）

かなタイプ［〈仮名〉タイプ］（名）キーの文字がかたかなだけのタイプライター。

かなひばし［金火〈箸〉］（名）金属で作った火ばし（のように細いからだ）。

かなぶつ［金仏］（名）㊀金属で作った仏像。㊁きわ

まれた語「労働争議」になぞらえたものという。物々しい言い回しがユーモラス。

削 **明国改訂版**（1952・昭27）。種々ある「今川焼き」の名称の古きライバル。

削 **第二版**（1974・昭49）。家兎頭数は1948年に戦後のピークとなる380万を記録し、畜牛の倍近くいた。その後減り続け、70年には農林省の統計にも含まれなくなった。

削 **第六版**（2008・平20）。カナモジカイが普及させようとしたもの。

削 **第二版**（1974・昭49）。「金＋火箸」の自明な複合語と見なして削除したものか。「火箸」には痩せていることの比喩用法があった。

削 **第二版**（1974・昭49）。朴念仁の意

めて ひややかな人のたとえ。

かに（名・自サ）〈女〉「かんにん」のつまった形。「―してね」

かはい【加配】（名・他サ）（特別に）増加した配給。「―米」

かふう【華風】（名）〈料〉中華（料理）風。「―酢（ス）のもの」

かぶ・る（自五）〈俗〉腹が激しく痛む。「虫が―（＝陣痛（ジンツウ）が起こる）」

かべ そしょう【壁訴訟】（名）㊀ひとりごと。㊁聞こえよがしにいうこと。

かみ くせ【〈噛み癖】（名）よくかみつくくせ。

にも用いる。類語の「木仏《きぶつ》」は今も残る。

[削]**第二版**（1974・昭49）。大言海（1932〜1937）などにはあり、戦後の立項は遅れた格好。

[削]**第二版**（1974・昭49）。「幼児加配」「青少年加配」「勤労加配」などが行われた。第六版で復活。

[削]**第七版**（2014・平26）。

[削]**第六版**（2008・平20）。「かぶりつく」の「かぶる」。第三版はこの項目内に「虫がかぶる[句]」を設けた。

[削]**第二版**（1974・昭49）。現代のネットで独り言を「壁打ち」（第八版で採録）と称するのを彷彿する。

[削]**第二版**（1974・昭49）。まさか人間のことではあるまいが、語釈「かみつく」の主語が不明。

カメ（名）〔Come here のなまりの「カメヤ」の変化〕〔俗〕〔西洋種の〕いぬ。洋犬。

かれふ【枯れ《生》】（名）〔文〕枯れ草の はえた土地。

かろしめる【軽しめる】（他下一）〔古風〕①あなどる。見さげる。②軽く見る。▽軽んじる。

かん【関】（名）〔文〕せきしょ。「函谷《カンコク》—」

かんい【簡易】（形動ダ）●—**ほけん**【簡易保険】（名）もと、郵便局であつかった、手続きの簡単な生命保険。簡保《カンポ》。

かんがう【考う】カンガフ（他下二）〔ふつう、発音は「カンゴー」〕〔文〕考える。「—べき〔＝検討すべき〕問題でない」

削 **第二版**（1974・昭49）。「カメ犬」と呼ぶ例もあったが、「サハラ砂漠」「チゲ鍋」のような重複感。

削 **第五版**（2001・平13）。採録する辞書は珍しく、立項した第二版の時点で古めかしい語だった。

削 **第八版**（2022・令4）。

削 **第五版**（2001・平13）。初版には「㊀かんぬき」の語義も。「函谷関」は今の中国河南省にあった。

削 **第八版**（2022・令4）。大正時代から長く親しまれたが、2007年の郵政民営化に伴い、かんぽ生命保険に移行。「簡保」（☞55ページ）も一時期立項されていた。

削 **第七版**（2014・平26）。第二版〜第五版は「かんごう」の見出しで立っていた。第六版で空見出しになった。

か

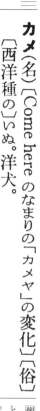

がんがら④③〔名〕〔俗〕㊀ブリキかんや石油かんのこと。㊁考えなしに大声でしゃべる人。

かんきょう【環境】〔名〕 ●**―ホルモン**【環境ホルモン】〔名〕「外因性内分泌(ナイブンピツ)攪乱(カクラン)化学物質」の俗称(ゾクショウ)。動物の体内にはいると、生殖(セイショク)機能障害などを引き起こすとされる。

☆☆**かんげん**【還元】〔名・自他サ〕 ●**―にゅう**【還元乳】〔名〕脱脂(ダッシ)粉乳を水でもどし、バターをくわえて、牛乳のようにしたもの。

かんごく【監獄】〔名〕 ●**―べや**【監獄部屋】〔名〕〔俗〕自由をうばって ひどいあつかいをする、作業員の宿舎。

「かんごう」も同時に削除。

削 **初版**(1960・昭35)。「かんから」よりもうるさそう。「男に近い位ながんがら気性」(佐々木味津三『呪はしき生存』1923)

削 **第八版**(2022・令4)。DDT(☞140ページ)、PCB、ダイオキシンなどで、1998年の新語・流行語大賞トップテンに入るほど話題になった。同項への空見出し「内分泌攪乱化学物質」も同時に削除。

削 **第六版**(2008・平20)。1970年代初頭に生産のピークを迎えたが「まやかし牛乳」などと言われ消費者には嫌われた。第二版では注付き用例。☞生牛乳(158ページ)

削 **第八版**(2022・令4)。明国の語釈は「束縛・冷遇の甚だしい人夫の宿舎」。ちなみに「蛸部屋」は第二版で採録。

かんしゅう〔官臭〕（名）〔文〕役所や役人の、いやな性質・傾向。「―を排（ハイ）する」

かんしょう〔簡〈捷〉〕（名）手がるで はやいこと。「事務の―化」

がんすいたんそ〔含水炭素〕（名）《理》「炭水化物」の古い言い方。

かんぞう〔肝臓〕（名）

●―ジストマ〔肝臓ジストマ〕（名）〔医・動〕「肝吸虫（カンキュウチュウ）」のもとの呼び名。

かんテレ〔漢テレ〕（名）↑漢字テレタイプ（＝漢字で打てるテレタイプ）。〔ふつうのテレタイプはローマ字〕

削 **第二版**（1974・昭49）。明国にあったが改訂版で消え、三国初版で復活後またすぐ消えた〝点滅項目〟。

削 **第二版**（1974・昭49）。「事務の簡捷化」は戦時中、人手の取られた銃後で盛んに言われた。

削 **第八版**（2022・令4）。明国改訂版から「炭水化物」と書くだけの空項目になり、第二版で削除。第六版でなぜか復活したが消えた。

削 **第七版**（2014・平26）。第三版で「肝吸虫」が立項された後もしばらく併存した。

削 **第六版**（2008・平20）。1950年代末に開発。送信機のキーボードで文字を打ち込むと遠隔地の受信機で印字される電信装置。

がんどう（ぢょうちん）【〈龕燈〉（《提燈》）】（名）前だけを照らす構造の ちょうちん。

［がんどう（ぢょうちん）］

かんドック【乾ドック】（名）水の出し入れを人工的におこなうしかけのあるドック。（↔浮（ウ）きドック）

がんノロ【〈×癌〉ノロ】（名）〔俗〕がんノイローゼ。

がんばりスト【〈頑張り〉スト】（名）〔俗〕一生懸命（ケンメイ）に努力する（主義の）人。がんばり屋。

削**第二版**（1974・昭49）。挿絵のようにロウソク台が遊動する仕組みで、筒をどの向きにしてもロウソクは倒れないのがミソ。江戸時代に発明され、明治以降も使われた。表記は「強盗提灯」とも。また、「遮眼《しゃがん》灯」「忍《しのび》提灯」とも言った。

削**第七版**（2014・平26）。明国～改訂版の漢字表記は「乾船渠」。☞浮きドック（26ページ）

削**第六版**（2008・平20）。1960年代、「自分も癌ではないか」と不安に陥る人が続出した。64年に遠藤周作が造語か。

削**第六版**（2008・平20）。同版で「頑張りズム」の補注に引っ越し、また「頑張り屋」に転生した。

がんばりズム【(頑張り)ズム】(名)〔俗〕一生懸命(ケンメイ)に努力する主義。〔その性質の人は「頑張りスト」〕

がんばりや【(頑張り)屋】(名) 一生懸命(ケンメイ)に努力する人。頑張りスト。

かんばん【看板】(名)
●**看板を上げる** 句 〔「看板②」から〕はじめての公演をおこなう。

かんぽ【簡保】(名) ←簡易保険。

←**かんぼう**【寒冒】(名)〔医〕寒い風にあたったり、あせをかいたりして、くしゃみ・鼻水が出る状態。かぜ。

キーパンチャー(名)〔keypuncher〕昔の大型コンピューターで、キーをたたいて情報を入力する仕事を

削 **第七版**(2014・平26)。明国改訂版〜三国初版は「り」が片仮名。第六版で「頑張りスト」を取り込む。

削 **第七版**(2014・平26)。第六版で「頑張りスト」に代わって立項されるも、一代限り。

削 **第七版**(2014・平26)。「看板②」は「スター級の俳優・芸人」。

削 **第二版**(1974・昭49)。☞簡易保険(51ページ)

削 **第五版**(2001・平13)。「感冒」すなわち「ウイルスに感染して」(第四版)かかる風邪とは区別して項目が立っていた。

した人。パンチャー。

初版(1960)の語釈は「統計機械などに使うカードに、穴をあける係り」。第二版(1974)では「電子計算機に使うカードに、あなをあける(ことを職業とする)人。パンチャー」となった。1970年代頃までのコンピュータは、データの入出力に「パンチカード」と呼ばれる紙が用いられ、穿孔《せんこう》機のキーボードを打ってカードに穴開け(punch)し、穴のパターンで情報を示した。これを操作するのがキーパンチャーであった。戦後、企業や官庁へのIBM(☞16ページ)導入によるオートメーション化に伴い、この職業の需要が急増。若い女性が高給で重用され、〝時代の花形〟ともてはやされた。反面、腱鞘《けんしょう》炎や頸腕《けいわん》症候群などの職業病に悩む人も続出し、「キーパンチャー病」とも呼ばれた。

70年代以降はカードを経由しない情報の出入力や読取システムが普及。三国は第四版(1992)で「電子計算

キーパンチャー

機のキーをたたいて情報を打ちこむ（ことを職業とする）人」に語釈を改めた。第七版（2014）では右の通り「昔の大型コンピューター」と時代感を表す文言が追加された。第八版（2022・令4）でついに項目が消えたが、現在でもデータ入力を行うオペレータをキーパンチャーと呼ぶことがある。

ききと・れる【聞き〈蕩れる】（自下一）ききほれる。「音楽に―」

きぎょう【企業】（名）●**―せんし**【企業戦士】（名）企業のために、自分を犠牲（ギセイ）にして仕事に打ちこむ人。

きけつ【奇傑】（名）風がわりな偉人（イジン）。

ぎこっかい【擬国会】（名）国会の組織に似せて、政治上の討論をする会合。

削**第二版**（1974・昭49）。「聞き惚《ほ》れる」の項目内に〈古風〉として残る。

削**第八版**（2022・令4）。同版で「企業」の注付き用例に。また、「社畜」が新たに立項された。

削**第二版**（1974・昭49）。「奇才」「奇人」よりも語感が良さそうである。

削**第二版**（1974・昭49）。1890年10月には本物の帝国議会に先んじて、神田一ッ橋外にあった帝大講義室で催されている。1910年代には各大学で盛んだった。

き

ぎじゅつ①［技術］（名）

―や⓪［技術屋］（名）〔法科系統の官吏に対して〕技術家出身の官吏の俗称。

きじるし［キ印］（名）〔俗〕きちがい。〔差別的なことば〕

きずとがめ［傷咎め］（名・自サ）きずを いじって、かえって わるくすること。

きせん［貴船］（名）〔文〕〔おもに電報で〕相手の船を

擬国会

削 **初版**（1960・昭35）。戦前の鉄道や自動車関係の書類にも例があり、技術官吏という限定は適切ではなかったか。用例として第六版まで残った。

削 **第八版**（2022・令4）。〔差別的なことば〕の補注は第六版から。

削 **第二版**（1974・昭49）。新明解国語辞典では健在の項目で転義も載る。

削 **第六版**（2008・平20）。旗信号やモ

尊敬して呼ぶ言い方。

きたやま【北山】〔名〕㊀北のほうの山。㊁〔俗〕腹がすいてくること。㊂〔俗〕食べ物が腐ること。

きたわれる【鍛われる】キタハー〔連語〕きたえられる。

きちがい【気違い】―チガヒ〔名〕●**―あめ【気違い雨】**〔名〕晴れていたのに急に降り出す雨。また、ひじょうに はげしく降る雨。

きつご【×吃語】〔名〕〔文〕ことばが どもる状態。どもり。

きむすこ【生《息子】〔名〕まだ女を知らない むすこ。

ぎゃくざん【逆産】〔名〕胎児(タイジ)が逆に〔=足から〕うまれること。さかご。

きゃくしゃ【客舎】〔名〕〔文〕旅館。かくしゃ。「熱海(アタミ)の**―**にて」

ールス符号では訳語に使われる。

削**第二版**(1974・昭49)。㊁は「〔腹がすいて〕来た」から言うとか。㊂も同様の洒落。

削**第七版**(2014・平26)。「鍛える」の文語形「鍛う」の未然形＋受け身の「れる」。

削**第八版**(2022・令4)。同版の「気違い」には「差別的なことば。「気違い水」などの複合語も…現代では語感が悪い」と注記がある。

削**第六版**(2008・平20)。

削**第二版**(1974・昭49)。「生娘《きむすめ》」は現在も載る。

削**第七版**(2014・平26)。対義語は「正産」。

削**第二版**(1974・昭49)。旅情を感じる用例。

き

キャラバン(名)〔caravan〕 ●**―シューズ**(名)〔Caravan shoes＝商標名〕底に合成ゴムをはった、ズックのあみ上げぐつ。ハイキング・登山用。

ぎゅうえき【牛疫】(名)〔農〕うしだけに出る、急性の伝染病(デンセンビョウ)。

きゅうえん【求縁】(名)〔文〕〈縁談(エンダン)/結婚(ケッコン)の相手〉をもとめること。「―広告」

きゅうでん【休電】(名・自サ) 電力の供給をやすむこと。電休。「―日」

きゅうらい【救〈×癩〉】(名)〔文〕ハンセン病の患者(カンジャ)を助けること。「―事業」

きゅうろう【旧労】(名) ↑旧労働組合。(↕新労)

削**第七版**(2014・平26)。1954年発売。ヒマラヤ遠征隊が使用して名を上げ、トレッキングシューズの代名詞になった。

削**第二版**(1974・昭49)。2011年に撲滅宣言。日本で最後に発生が確認された百年後、第八版で復活。

削**第八版**(2022・令4)。☞社縁(104ページ)

削**第二版**(1974・昭49)。今で言う計画停電。戦時中から例があり、電力不足の続いた1950年代までは実施されていた。

削**第六版**(2008・平20)。「癩」はハンセン病の旧称。救癩の名の下に患者に対しては差別的な扱いがなされた。

削**第六版**(2008・平20)。労組が分裂したときに呼び分けるための用語。

―きょ【居】〔造語〕家につける名前。「惜春(セキシュン)―」

きょうえい【胸泳】〔名〕〔文〕⇩平泳ぎ。

きょうかく【胸郭・胸〈廓〉】〔名〕

―せいけいじゅつ【胸郭成形術】〔名〕〔医〕ろっこつ(肋骨)を短く切って胸郭をせまくし、肺を押しつけて結核の部分をつぶす手術。成形。

きょうざまし【興〈醒まし〉】〔名・形動ダ〕おもしろみをなくする・こと(もの)。興ざめ。

きょうしん【強震】〔名〕〔地〕壁が割れ、石どうろうなどがたおれる程度の強い地震。震度5にあたる。

きょうすずめ【京〈雀〉】〔名〕〔俗〕京都に住み、土地の事情にくわしい人。

「新労」は採録されず。

削**第二版**(1974・昭49)。「惜春居」は高浜虚子の別号。

削**第八版**(2022・令4)。

削**第二版**(1974・昭49)。かつては結核が日本人の死因第一位だったが、1970年代までに状況が大幅に改善した。

削**第二版**(1974・昭49)。自動詞「さめる」を用いた「興醒め」は残る。

削**第五版**(2001・平13)。1996年に震度階級が改定されたのに伴い、「無感」(震度0)、「微震」(同1)、「弱震」(同3)、「中震」(同4)、「強震」(同5)、「烈震」(同6)すべてが廃項となった。

削**第二版**(1974・昭49)。初版の「雀」は㊁よくしゃべる人。㊂事情にく

き

きょう はん［共販］（名）↑共同販売。「―所」

きょう まい［供米］（名・自サ）㊀こめを政府に供出すること。㊁供出する こめ。供出米。

ぎょ よお⓪①［技〈癢］ーヨウ（名）〔文〕自分のうでまえ・わざを見せたくてむずむずすること。腕がなること。「―に堪えない」

きょ おふ①⓪［恐怖］キョウー（名・自サ）

―**じだい**④［恐怖時代］（名）悪政が行なわれて、生命・財産の危険な時代。

きょく のみ［曲飲み］（名）曲芸（キョクゲイ）をしながら「酒などを飲むこと。

きょっ きゅう［曲球］（名）〔野球で〕バッターの近くで急に曲がる たま。カーブ。

わしい人」。否定的な語感か。

削第二版（1974・昭49）。共同販売は、異なる事業者が一体になって製品を売ること。第六版で復活。

削第二版（1974・昭49）。戦中から戦後にかけ食糧統制のため強制された。

削初版（1960・昭35）。「癢」は「痒」の意。身に覚えのある人も多かろう。

削初版（1960・昭35）。単なる複合語ではなく、フランス革命時代を指すReign of Terrorの訳語と思われる。

削第二版（1974・昭49）。どのような飲み方をしていたのか不明。

削第八版（2022・令4）。「曲下球」（ドロップ）は載らず。

ぎょり【漁利】(名) ㊀漁業の上での利益。㊁利益をひとりじめにすること。

きりさげがみ【切り下げ髪】(名) 髪の毛を首のあたりで切ってたらしておくもの。

きりばこ【霧箱】(名)〔理〕飽和(ホウワ)した水蒸気を満たし、中を素粒子(ソリュウシ)が通るとその跡が見えるしかけにした箱。ウィルソン霧箱。

きるい【着類】(名) 衣類。きもの。

削**第二版**(1974・昭49)。㊁は「漁夫の利」からか。

削**第二版**(1974・昭49)。日本国語大辞典によれば「多く未亡人が行ない、大正時代頃まで行なわれた」。掲載時点で古語だったことになる。

切り下げ髪

削**第二版**(1974・昭49)。1897年に発明された観測装置。夏休みの自由研究で作った人もいるかもしれない。

削**第二版**(1974・昭49)。「片手には着類をだき、片手にはカバンをぶら

ぎんぎょ【銀魚】(名)〔動〕キンギョの一種。大きくなって紅色になり、さらに生長してから白くなるもの。

きんけつ【金穴】(名) ㊀金坑(キンコウ)。㊁〔俗〕かねもち。㊂〔俗〕資金・(費用)を出してくれる人。ドルばこ。

きんたま【金玉】(名) **―ひばち**【金玉火〈鉢〉】(名)〔俗〕また(股)の間に火ばちを入れて、あたたまること。

きんだん【禁男】(名)〔文〕男子の立ち入りを禁止すること。「―の館(ヤカタ)」

きんちさん【禁治産】(名)〔法〕つねに心神喪失(シンシンソウシツ)の状態にある者が、自分で財産を管理したり処分する力のない者として、裁判所の決定で後見(コウケン)人をつけられること。「―者」

きんてんさい【禁転載】(連語)〔文〕ほかの本に同じものを のせるのを禁じること。

さげ」(坂口安吾『牛』1953)

削 **第二版**(1974・昭49)。

削 **第二版**(1974・昭49)。同音語「金欠」とはまるで違う。

削 **第二版**(1974・昭49)。「握り金玉」(☞161ページ)と言いこれと言い、江戸っ子らしい直截《ちょくせつ》な表現。

削 **第七版**(2014・平26)。映画の題名などに用いられた語。対義語となりうる「禁女」はほとんど言われない。

削 **第五版**(2001・平13)。２０００年に導入された成年後見制度の、元の制度。

削 **第二版**(1974・昭49)。「禁」の用例に今も残る。「禁＋転載」という

きんぴょう【勤評】(名) ↑勤務評定。

ぎんめし【銀飯】(名)〔俗〕(銀色に光る)白米(ハクマイ)のめし。

グァッシュ(名)〔フ gouache〕⇩ガッシュ。

くうしょう【空相】(名)〔文〕〔外国の〕空軍大臣。

くうびん【空瓶】(名) あきびん。

くかだち【:探湯】(名)〔古〕正しいかどうかをきめるために、神に誓(チカ)って、煮(ニ)えたった湯に手を入れさせたこと。

くじのがれ【〈籤《逃れ】(名) くじを引いて、役・(番)を

単純な複合語だが載せる辞書がなぜか多い。

削 **第八版**(2022・令4)。「勤務評定」の項目内には残る。

削 **第二版**(1974・昭49)。代用食(☞131ページ)ばかりで白米に手の届かなかった食糧難の時代を思わせる。「銀シャリ」は第七版で立項。

削 **第七版**(2014・平26)。「ガッシュ」(水彩絵の具)の項目内には残る。第二版〜第三版では「グヮッシュ」。

削 **第六版**(2008・平20)。「海相」「陸相」は明国からずっと現役。

削 **第七版**(2014・平26)。

削 **第二版**(1974・昭49)。明国〜改訂版は「くがだち」。他書の多くは「くかたち」。

削 **第二版**(1974・昭49)。特に徴兵逃れのことを言ったという。

のがれること。

ぐじょ【愚女】(名)〔文〕①「自分のむすめ」の謙譲(ケンジョウ)語。(↔愚息) ②おろかな女。

くちあら・い【口荒い】(形) 言い方が あらあらしい。

くちぬき【口抜き】(名) びんの せんを ぬく器具。せんぬき。

くちへんとう【口返答】(名・自サ) ⇩くちごたえ。

クッカー(名)〔cooker〕 調理器。

クックドライス(名)〔和製英語 cooked rice〕 調理したごはんを、レトルト加工・冷凍(レイトウ)処理などしたもの。例、袋ごとゆでるピラフや、冷凍にぎりずし。加工米飯(ベイハン)。

削 **第八版**(2022・令4)。第五版から載る「愚姉《ぐし》」も削除。「愚息」「愚妹」「愚兄」は明国以来存続する。「愚弟」は明国改訂版だけが非掲載。

削 **第二版**(1974・昭49)。他書に「口荒」「口荒く」は見えるが、「口荒い」は珍しい。

削 **第二版**(1974・昭49)。

削 **第二版**(1974・昭49)。「壁訴訟」(☞50ページ)同様の湯桶《ゆとう》読み。第八版でも「口答え」の語釈で言及。

削 **第八版**(2022・令4)。普通に用いられる語だが消えた。

削 **第五版**(2001・平13)。指示対象はかつてないほど浸透したが、語は使われず、すぐに削除された。

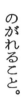

グッド〔good〕 ●━**デザイン**（名）〔good design〕〔商品の〕よいデザイン。おもに、グッド デザイン マーク〔⇩：G マーク〕をつけて、公式にみとめられたものについて言う。

くまこうはちこう【〈熊公八公〉】（名）〔落語・講談などで〕教育や教養のない人たち。

くまたか【〈熊鷹〉】（名）㊀〔動〕タカに似た、どうもうな鳥の名。㊁性質があらあらしくて、欲（ヨク）の深い人。

くままつり【〈×熊〉祭り】（名）アイヌが、クマを神の国へ帰してやる〔＝殺す〕ときの、別れの儀式（ギシキ）。

クリア（ー）〔clear〕 ●━**ビジョン**（名）〔和製英語 clear vision〕高画質化テレビ〔EDTV ← extended definition television〕の通称（ツウショウ）。従来の方式のまま画質をよくするテレビ放送（技術）。⇩：ハイビジョン。

削 **第七版**（2014・平26）。初版の用例を第二版で立項。１９５７年に通産省が始め、98年に民営化した。☞Ｇマーク（99ページ）

削 **第二版**（1974・昭49）。

削 **第二版**（1974・昭49）。第六版で復活したが語義㊁は消えた。現在は絶滅危惧種に指定。

削 **第七版**（2014・平26）。代わって「熊送り」（空項目）と「イヨマンテ」が立項され、説明の分量も増えた。

削 **第七版**（2014・平26）。１９８９年に放送が開始され、２０１１年に地上アナログテレビ放送とともに終了した。見出しを複合すると「クリア（ー）ビジョン」になるが、この通称には長音符号は入らない。

クリスチャニア（名）〔ド Kristiania〕〔スキーで〕すべりながら急に方向をかえる技術。〔技術の始まった地クリスチャニア『＝オスロの旧称（キュウショウ）』から〕

グリッド（名）〔grid〕〔ラジオで〕三極真空管の第三の極。網の形をしていて、電子の流れを加減する。

ぐりはま（名）〔俗〕〔「はまぐり」のさかさことば〕くいちがうこと。ぐれはま。

クリンシングクリーム（名）〔cleansing cream〕⇩クレンジング①。

グル（名）〔ヒンディー guru〕ヒンドゥー教の指導者。

削 **第八版**（2022・令4）。ターンの一種。スキー用語は出入りが激しい。「プルーク」は第二版で立項されたが、用例の「プルークボーゲン」が第五版で見出し語になり今に至る。「ボーゲン」は明国改訂版から載り、第三版でスキーの意味が消えるも、第四版で復活。☞シュブング（107ページ）

削 **第二版**（1974・昭49）。ラジオの部品に馴染みがあった時代の項目。「格子（じま）」の語義で第六版から見出し語復活。

削 **第二版**（1974・昭49）。江戸時代の流行語。転じた「ぐれはま」は動詞「ぐれる」の語源とも言われる。

削 **第八版**（2022・令4）。明国〜改訂版は「クレンジングクリイム」。

削 **第八版**（2022・令4）。1990年

クルーナー（名）〔crooner〕低く、しんみりとうたう（流行）歌手。

クルップ（名）〔ド Krupp〕《医》のど・気管に厚い偽膜（ギマク）ができて息が苦しくなる、急性の炎症（エンショウ）。クループ。

グルッペ（名）〔ド Gruppe〕グループ。

くるる【《枢】（名）㊀〔古〕戸をあけたりしめたりするためにとりつけた「とぼそ」と「とまら」。㊁戸のさん（桟）の落とし。㊂心棒。

代、オウム真理教の教祖は信者にこう呼ばれた。

削 **第二版**（1974・昭49）。マイクロフォンの発達とラジオ放送の普及に伴って1920年代から登場し、流行した。代表はビング・クロスビー。

削 **第八版**（2022・令4）。小児病。語源はスコットランド方言croup「しゃがれ声で叫ぶ」だという。

削 **第七版**（2014・平26）。戦前の学生語。

「くるる」は第二版（1974・昭49）で消えた。㊀にある「とぼそ」は「戸の臍《ほぞ》（＝へそ）」で、上下に突き出た部分を受けるところ。明国（1943）の「とぼそ」にはその語義が載っていたが、三国初版(1960)で削除され「戸」の語義のみとなり、第三版(1982)で廃項。一方、突き出た部分が「とまら」で、唯一明国で立項された。「まら」は「魔羅」つまり陰茎で、「雄《お》ネジ」や「ケーブルのオス」と同じ発想である。「くるる」は「とぼそ」と「とまら」を使った仕掛けで、それを利用した回転式の扉(くるる戸《ど》)も指した。

これら「とぼそ」と「とまら」、そして「くるる」も、同じ漢字「枢」を当てるため、「枢を枢に入れた枢戸」など読み方が紛らわしい。しかしいずれも古辞書に記録されている和訓である。

「枢」の字は回転軸の意から要《かなめ》・中心の転義が生じた。今では「中枢」「枢軸」「枢密院」など

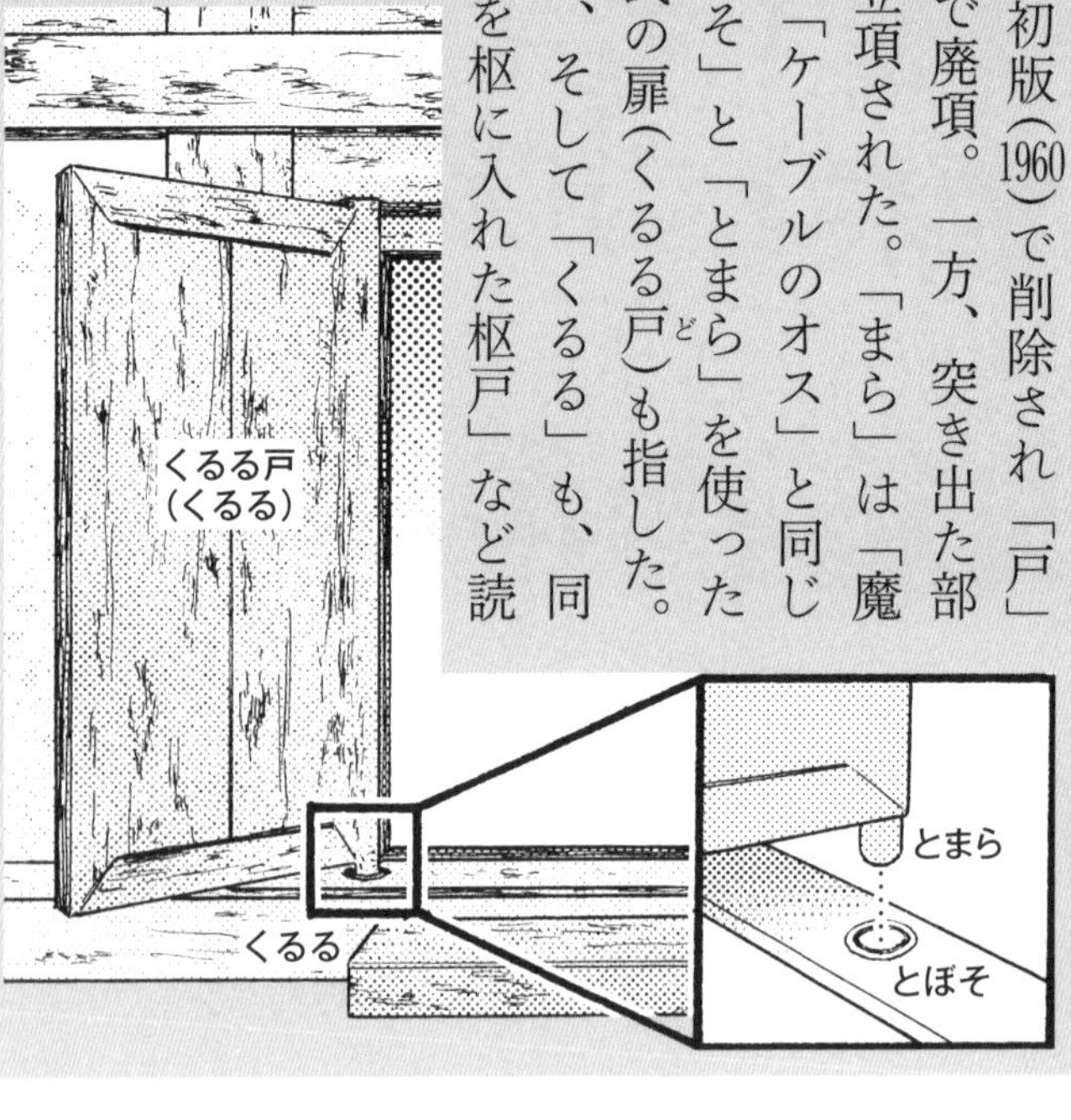

の語に現れ、もっぱら「スウ」と読む。

グレー（名）〔gray〕

●ーカラー（名）〔gray-collar〕コンピューター関係の仕事、オートメーション装置の監視（カンシ）・整備などに従事する労働者。ホワイト カラーとブルー カラーの中間の職員。

グレース（名）〔grace〕優雅（ユウガ）。しとやかさ。気品。

くれて【《呉れ手》】（名）㊀ものを くれる人。㊁〔…して〕くれる人。「来て**ー**がない」

クレバ（ネット）（名）〔cravenette=もと、会社名〕レイン コートなどに使う、じょうぶなギャバジンの織物。

く・れる【繰れる】（自下一）〔俗〕へそくりができる。「だいぶー わね」

削**第七版**（2014・平26）。1960年代、製造業の無人化に伴いホワイトカラーでもブルーカラーでもない新たな領域を埋める語として登場。

削**第六版**（2008・平20）。1960年代のカラーテレビには「グレースカラー」と発色のよさを宣伝するものも。

削**第二版**（1974・昭49）。㊁は「嫁に来て呉れ手」「中小企業に来て呉れ手」のように用いた。

削**第八版**（2022・令4）。ギャバジンに防水加工したもの。

削**第八版**（2022・令4）。

クローネ（名）〔krone〕㊀むかし、オーストリアの銀貨。㊁スエーデン・デンマーク・ノルウェーの銀貨。㊂むかし、ドイツの金貨。

くろだま⓪【黒玉】（名）㊀黒色の たま。㊁黒星。㊂〔目の〕ひとみ。㊃発火しない花火の たま。

くろてぐみ⓪【黒手組】（名） 不良少年・少女の秘「密団体。

くろぼく【黒ぼく】（名） 〔黒くて ぼくぼくしているからいう〕黒くて くずれやすい土。くろつち。

クロロマイセチン（名）〔Chloromycetin＝商標名〕《医》抗生（コウセイ）物質の 一つ。つつが虫病・はっしん

[削] **第二版**（1974・昭49）。第八版で復活したが、流通圏は小さくなった。

[削] **初版**（1960・昭35）。㊂㊃の転義が目を引く。花火用語としては現役。

[削] **初版**（1960・昭35）。1910～20年代に各地で発生した恐喝・誘拐・強盗などの犯行グループが、当時アメリカで活動していた犯罪組織ブラックハンドを真似てこう呼ばれた。構成員には良家の子女もいたとか。「白手組」（＝悪漢ぼくめつの団体）も同時に削除。

[削] **第二版**（1974・昭49）。項目のない「ぼくぼく」の意味がわからないとやや解釈しにくい。

[削] **第八版**（2022・令4）。戦後普及した「オーレオマイシン」「トリコマイ

（発疹）チフス・赤痢（セキリ）などに よくきく。クロマイ。

ぐんか① 【軍〈靴】（名） 〔軍〕**軍隊でつかうくつ。**

ぐんそく【軍足】（名） 軍人のはくくつした。 太い**白もめんで作る。**

け【毛】（名） ●**毛が三本足りない** 句 〈サルは人間より毛が三本足りない、というところから〉〔俗〕ふつうの人より おとっている〈こと／ようす〉。

けいえい【継泳】（名）〔文〕ひと組みの選手が めいめい一定の距離（キョリ）を受け持ち、順々にひきついでおよぐ競技。リレー（レース）。

けいけん【競犬】（名） いぬを走らせて**勝負を争うこと。**

けいしん【軽震】（名） 〔地〕戸・しょうじが わずかに**動**

シン」も腸チフスなどが減少し、第二版で削除。

削 **初版**（1960・昭35）。第七版で復活。比喩用法が多い。

削 **第二版**（1974・昭49）。「軍手」の対義語に当たる。

削 **第八版**（2022・令4）。「猿は人に毛が三筋足らぬ」は江戸時代からのことわざ。

削 **第八版**（2022・令4）。「リレー」の項目内には残る。

削 **第二版**（1974・昭49）。1950年代に公営ドッグレースの設置が目論まれたが潰えた。

削 **第五版**（2001・平13）。☞強震（61ページ）

く程度の、かるい地震(ジシン)。震度2にあたる。

けいたい〔携帯〕(名・他サ)

●**ーメール**〔携帯メール〕(名) 携帯電話を使ってやりとりするメール。

けいばん〔携番〕(名) (俗)携帯電話の番号。ケーバン。「ー、交換(コウカン)しよう」

けいよう〔京葉〕(名) 《地》東京と千葉(を中心とする地域)。「ー線」

ゲーペーウー(名) 〔ロ G.P.U.〕 もと、ソビエト連邦(レンポウ)の秘密警察。

けえぼお⓪〔警防〕ケイバウ(名)

ーだん③〔警防團〕(名) 防空・消防その他の災害の警防にあたる團體。從來の防護團・消防組が合體してできたもので、市町村

削**第八版**(2022・令4)。「Pメール」(☞177ページ)から人気に火がついた。☞赤外線通信(121ページ)

削**第八版**(2022・令4)。2000年頃からある語。定着しなかった流行語だとしてすぐに削除。

削**第八版**(2022・令4)。第二版でいったん削除されたが第五版で復活し、用例「京葉工業地帯」が「京葉線」に変わった。

削**第四版**(1992・平4)。のちNKV《エヌカーベー》D《デー》、KGB《カーゲーベー》などを経て現FSB《フェーズベー》。

削**明国改訂版**(1952・昭27)。1939年から47年まであった組織。戦後、消防団に改組。

毎にまうけ、地方長官の監督を受ける。

けちが・える【〈蹴違える〉】ーチガヘル（他下一）けって・筋肉（方向）を違える。けちがう。

けつえき【血液】（名）

ーぎんこう【血液銀行】（名）〔医〕急ぎの輸血に まにあうように、血液を保存しておく所。血液バンク。

けつぎん【血銀】（名）←血液銀行。

けピン【毛ピン】（名）ヘアネット・ほつれ毛を おさえるのに使う、細いピン。

けられる（連語・下一）〔写真で〕レンズ・フードなどのために、写真の すみの方が うつらなくなること。「画面がー」

削 **第二版**（1974・昭49）。「蹴《け》」は下一段活用「蹴る」の残存。

削 **第五版**（2001・平13）。日本では1952年に初めて開設され、文字通り輸血用の血液を売り買いした。64年以降は献血を受ける「血液センター」に変わり、売血・買血は姿を消していった。「返血」（☞194ページ）、「預血」（☞223ページ）も削除されたが、「売血」は第八版にも残る。

削 **第五版**（2001・平13）。「血液銀行」の1版遅れで立項し同時に削除。

削 **第七版**（2014・平26）。

削 **第二版**（1974・昭49）。日本国語大辞典くらいにしか見当たらない業界用語。

け

ゲル（名）〔↑ゲルト（ド Geld）〕〔古風・学〕おかね。「―ピン〔↑ゲル＋ピンチ。おかねがわずかしかない状態〕」

げんぎょう〔現業〕（名）　●**―ちょう**〔現業庁〕（名）現業をする官庁。例、林野庁。

けん-こく⓪〔建國〕（名）

―-さい④③〔建國祭〕（名）日本建國の理想に基づき、國民精神の發揚を目的として、毎年紀元節に行はれる祭典。

けんざお〔間〈竿〉〕ーザヲ（名）間数（ケンスウ）をはかるのに使う、目盛りのある さお。さお。

☆☆**げんし**〔原子〕（名）

●**―ほう**〔原子砲〕（名）〔軍〕核弾頭（カクダントウ）を発射する大砲（タイホウ）。

☆☆**けんせつ**〔建設〕（名・他サ）**―だいじん**〔建設大

削**第八版**（2022・令4）。戦前の学生語。

削**第八版**（2022・令4）。「現業官庁」とも。省庁再編を境に例が減る。

削**明国改訂版**（1952・昭27）。しゃっちょこ張った語釈に時代を感じる。紀元節は2月11日で、現在の建国記念の日。

削**第二版**（1974・昭49）。道具自体は現在でも建設現場で使われる。

削**第六版**（2008・平20）。弩級艦（☞150ページ）の艦砲に迫る28センチの大口径砲。冷戦下の1950年代に開発され、沖縄にも配備されていた。

削**第五版**（2001・平13）。同版刊行年に建設省は国土交通省に再編。

臣」(名)〔法〕国務大臣のひとりで、建設省の長官。

☆☆**けんそん**【〔謙×遜〕】(名・自サ・形動ダ) ●☆☆―

ご【〔謙×遜〕語】(名) 敬語の一種。話し手や話し手がわの人物、またはその動作・状態・持ち物などをけんそんして言う言い方。その結果、相手や第三者を高めることになる。謙譲(ケンジョウ)語。例、粗品(ソシナ)・お願い申します・差し上げる。(↔尊敬語・丁寧(テイネイ)語)

げんたん【減炭】(名・自他サ) 石炭の生産・が へる(を へらす)こと。(↔増炭)

けんてん【県展】(名) ↑県総合美術展。

けんとう【健投】(名・自サ)〔野球で、勝ち負けにかかわらず〕投手が一生懸命(ケンメイ)に なげること。

「建設相」も削除。

削**第六版**(2008・平20)。学界で普通の「謙譲語」ではなくこちらを見出し語とした理由は不明。「謙譲語」は第二版で「謙譲」の用例として現れ、第六版で「謙遜語」を引き継いで立項された。

削**第二版**(1974・昭49)。対義語「増炭」とともに姿を消した。

削**第六版**(2008・平20)。地方文化促進のため戦後に始まる。1962年の第1回県展選抜展では35県から優秀作品が上野に集められた。

削**第八版**(2022・令4)。「健投空しく」などと用いる。

こ

[redacted]

けんどん【(倹×飩)】(名)〔うどん・そばなど〕どんぶり物を(何段にも)入れて運びとどける、手にさげて持つ箱。けんどん箱。

[redacted]

けんぼう【健棒】(名)〔野球で〕よく安打を打つ〈こと／選手〉。

[redacted]

こうきょう【公共】(名) ●**ーきぎょうたい**【公共企業体】(名)《法》人々のために

削 **第八版**(2022・令4)。ラーメン屋さんなどの岡持ち。明国は「慳貪㊂」として記述。明国改訂版で「倹飩(箱)」の見出しに。

けんどん

削 **第八版**(2022・令4)。「無敵健棒」「健棒爆発」などの例あり。

削 **第八版**(2022・令4)。戦後にGHQ主導で設置。国の運営する公共企業体は、国鉄の民営化をもって利益をはかろうとして、国や地方公共団体が出資した団体。公団・公社など。公企体（コウキタイ）。

こうきょういく【硬教育】（名）子ども自身の努力を特に重く考え、体罰（タイバツ）もくわえる主義の教育。スパルタ教育。

☆☆**こうご**〔口語〕（名）

●**―ほう**【口語法】（名）『文法』「口語②」の文法。（↕文語法）

こうさい【校債】（名）学校の経費をまかなうために、発行する債券（サイケン）。

こうさんせいきん【抗酸性菌】（名）〔医〕酸に強い菌。例、結核菌・らい（癩）菌など。

こうそくど〔高速度〕（名）

―しゃしん【高速度写真】（名）はやい速度でフィルムを動かしてとった映画。ふつうの速度でうつすと、ゆっくり動くように見える。

1987年に消滅した。同版で「公企体」も同時に削除。

削**第七版**（2014・平26）。対義語の「軟教育」は、三国には入らなかった。

削**第七版**（2014・平26）。対義語に掲げられた「文語法」は立項されていない。

削**第八版**（2022・令4）。私立学校で行われる。学校債、学債とも。

削**第二版**（1974・昭49）。抗酸菌とも。

削**第五版**（2001・平13）。採録前の明国～改訂版では「高速度映画」を、削除後の第五版～第八版では「高速度撮影」を立項している。

こ

こ

ごうてき（形動ダ）〔俗〕すばらしいようす。すてき。

ごうふう【業風】（名）〔仏〕地獄（ジゴク）に吹く、ものすごい かぜ。

ごうゆう【郷友】（名）〔文〕復員してきた、戦友のなかま。「—連盟」

こう・る【〈梱る】（他五）なわを かけて荷造りする。こる。

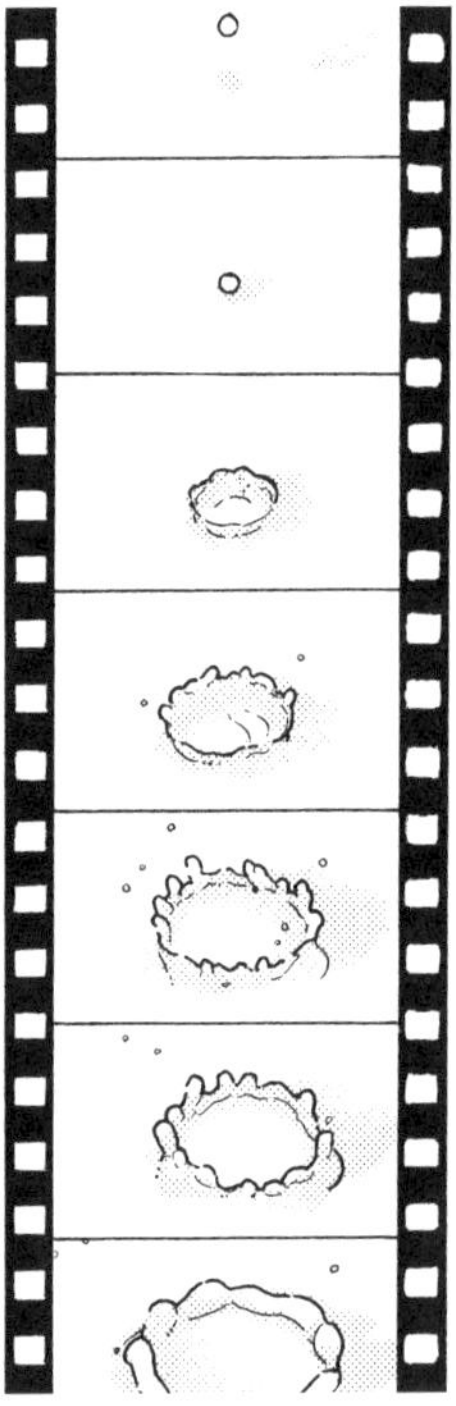

高速度写真

削 **第二版**（1974・昭49）。漢字表記は「豪的」または「強的」となるが、示されていない。

削 **第二版**（1974・昭49）。「ものすごいかぜ」がユーモラス。新明解国語辞典には今も残る。

削 **第六版**（2008・平20）。「郷友《きょうゆう》」（同郷の友）とは別語。用例にある日本郷友連盟（1955年結成。略称「郷友連」）以外での例は少ない。

削 **第二版**（1974・昭49）。「行李」（竹などで編んだ箱）の動詞化とも言われる。

こうろう【向老】(名)

こうろうき【向老期】(名) 老年にさしかかる時期。五十代後半から六十代前半まで。 ●―

削 **第八版**(2022・令4)。戦後、平均寿命が大幅に伸びたことで、人生の段階を分類する語が生まれた。

こうろうい【公労委】(名)〔↑公共企業(キギョウ)体等(トウ)労働委員会〕公共企業体などの労働争議の仲裁(チュウサイ)や不当労働行為(コウイ)の監督(カントク)などを おこなっていた委員会。

削 **第五版**(2001・平13)。1987年に国営企業労働委員会と改称、88年に中央労働委員会に統合。☞公共企業体(78ページ)

こうろうきょう【公労協】(名) ↑公共企業(キギョウ)体等(トウ)労働組合協議会。

削 **第五版**(2001・平13)。

こうろうほう【公労法】(名)〔法〕↑公共企業(キギョウ)体等(トウ)労働関係法。

削 **第五版**(2001・平13)。

こおーあ①【興亞】コウーー(名) 白人の勢力に対してアジヤの民族が共同して亞細亞をさかんに、すること。

削 **明国改訂版**(1952・昭27)。「興亜論」は明治前期に言われたが、日中戦争以降も人々の口に上り「聖戦興亜博覧会」「興亜議員同盟」などのほか「興亜団子」なる菓子まで現れたという。

ゴーイング マイ ウエー（連語）〔going my way〕自分の行き方でやる。我が道を行く。

コーク（名）〔米 Coke=商標名〕コカコーラ。

こお・し【▽恋し】コホシ（形シク）〔雅〕こいしい。派生 恋しさ（名）。

コカ コーラ（名）〔Coca-Cola=商標名〕⇩コーラ。〔略して「コーク」とも言う〕

こかんじゃ【小冠者】（名）㊀年の若い「冠者㊀」。㊁〔俗〕おとなが少年を見くびっていうことば。

こギャル【コギャル】（名）〔俗〕顔を黒く焼いたりする、

削 **第二版**（1974・昭49）。1944年製作の米映画から。初版だけ採録された後、第五版で復活。見出し語形を「～マイウェー」「～マイウェイ」と変えて今に至る。

削 **第七版**（2014・平26）。1967年に「コークと呼ぼうコカ・コーラ」キャンペーンが展開された。

削 **第七版**（2014・平26）。明国改訂版～第四版の送り仮名は「恋おし」。

削 **第七版**（2014・平26）。明国改訂版「コカコラ」、初版「コカコ（ー）ラ」。当初の語釈は「アメリカの清涼飲料水。色は茶色」。

削 **第二版**（1974・昭49）。明国改訂版で消えるも初版で復活したのは、時代小説に例があるためか。

ファッションが はでな女子高校生など。〔一九九〇年代からの言い方。もと、大人の女性の まねをして遊ぶ女子高校生をさした〕⇩：ギャル。

1990年代に世を席捲《せっけん》し、第五版（2001）で「流行のファッションやことばづかいをする女子高校生など」として採録されるに及んだ。しかし一時の風俗語であり、第八版（2022・令4）で削除。女子中学生の「マゴギャル」、顔を黒くした「ガングロ」、そして髪を銀色などにした「ヤマンバ」は掲載に至らず。また同版では「ルーズソックス」に〔一九九〇年代に流行〕という注記が加わった。

ただし第三版（1982）で採録された「ギャル」は令和でも健在で、第八版の項目でも「テニスギャル」の「ギャル①」と「ギャル系メイク」

コギャル

の「ギャル②」とは、意味を分けて記述する。また、「きゃぴきゃぴ」の用例が「きゃぴきゃぴのむすめ」から「きゃぴきゃぴしたギャル」に変わった。「キャンペーンガール」の短縮形としては「キャンギャル」を掲げる。21世紀になって「黒ギャル」「白ギャル」という言い方も広まるなど、「ギャル」概念の底堅さがうかがえる。

こくじ［国璽］(名)

こくじしょうしょ［国璽尚書］(名)〔法〕〔イギリスで〕国の印章を管理する役の大臣。

こくみん⓪②［國民］(名)

こくみんがっこお⑤［國民學校］―ガクカウ(名)小學校の改稱。皇國の道の修練を旨として國民精神を昂揚させることを目的とする。實際訓練を重んじ、併せて智能・體力・情操を發達させる。學科は綜合的。

削第七版(2014・平26)。「尚書」は古い官名で、太政官の弁官などを言った。

削明国改訂版(1952・昭27)。1941年から47年まで存在した。戦時中に刊行された明国の語釈はプロパガンダと見まがうばかりで痛々しい。第七版で復活したが、説明はもちろん冷静なものに改められている。

—**こく・る**〔接尾〕〔自他五をつくる〕あくまでもする。〈どこまでも/はげしく〉する。「追い—・だまり—」

ごけそう【後家相】〔名〕未亡人(ミボウジン)になりやすい人相(ニンソウ)。たよる人にめぐまれない相。

こころ【心】〔名〕〔雅〕心づかい。 ●**—しらい**【心しらい】—シラヒ

ござい【御座い】〔感助〕〔俗〕↑ございます。

ござっしゃ・る【御座っしゃる】〔方〕—〔自五〕ござる。二〔補動・五〕〔「て—」の形で〕いらっしゃる。「おてんとさまが見て—」

こしがる【腰軽】〔名・形動ダ〕気軽に行動するようすだ。気安い。 ●**—・い**【腰軽い】〔形〕派生 腰軽さ〔名〕。

ごしゅか【御酒家】〔名〕〔俗〕「さけのみ」の敬語。

削 **第八版**（2022・令4）。強くこする意の動詞「こくる」から。

削 **第七版**（2014・平26）。姓名判断や手相にも言う語。

削 **第八版**（2022・令4）。

削 **第二版**（1974・昭49）。第八版にて用例を加えた上で復活。

削 **第三版**（1982・昭57）。

削 **第六版**（2008・平20）。「腰が軽い 句」は第三版以降、「腰軽」は第四版以降に採録されている。

削 **第二版**（1974・昭49）。同義の「酒家」も同版で削除されたが、第七

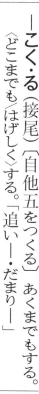

コスチューム（名）〔costume〕 **—プレ**ー（名）〔costume play〕西洋の時代劇（映画）。

ごだい-きょおこく④【五大強國】—キャウー（名）日本・イギリス・アメリカ・フランス・イタリヤの五つの強國の稱。

こちゃ（連語）〔文〕〔↑こちは〕㊀こっちは。㊁〔女の人「が」〕わたしは。

ことば［〔言葉〕・〔▽詞〕］（名） **—のうみ**［〔言葉〕の海］（連語）①〔さまざまなことばをふくむ〕広い、ことばの世界。「—を行く」②ことばをたくさん集めた本。辞書。▽ことばの林。

ことば［〔言葉〕・〔▽詞〕］（名） **—のはやし**［〔言葉〕の林］（連語）ことば

版で復活。ただし語義は「酒を出す（料理）店」となった。

[削] **第三版**（1982・昭57）。いま言う「コスプレ」とは大きく異なる。第六版で復活し、②で「コスプレ」（同版で立項）を参照させる。

[削] **明国改訂版**（1952・昭27）。第一次大戦終結以降、「五大強国の一員として」が決まり文句のようになっていった。

[削] **第二版**（1974・昭49）。

[削] **第七版**（2014・平26）。②の用例は見坊豪紀の著作『ことばの海をゆく』（1976）に重なる。高田宏『言葉の海へ』（1978）は言うに及ばず、鈴木絢音『言葉の海をさまよう』（2023）など書名に頻出。

[削] **第七版**（2014・平26）。小辞林、大辞林などの「辞林」はこの意味。

の海。

こにもつ【小荷物】(名)〔鉄道で〕おもに客車で輸送する、小さな荷物。

[削] **第四版**(1992・平4)。鉄道黎明期の1874年には存在した種別。1960年代、国労・動労の順法闘争があると遅配したり、全逓(☞125ページ)の闘争の影響で小包郵便がストップすると鉄道小荷物が大混雑したりした。74年に取扱量がピークを迎えたが、以降は宅配便に押され、86年廃止。

小荷物

こまりんず【×駒（×綸子）】（名） 絹織物の一種。強くよった横糸を使って、地紋（ジモン）を織り出したちりめん（縮緬）。こま（より）りんずちりめん。

こりしょう【懲り性】（名） 一度でこりてしまう性質。「ーもなく」

コルサージュ（名）〔フ corsage〕①《服》女性の服の腰（コシ）から上の部分。胴着（ドウギ）。②⇩コサージュ。

コレクトコール（名）〔collect call〕〔電話で〕料金受信人ばらいの通話。

コレクトマニア（名）〔collectomania〕 収集狂（キョウ）。

これやこの【〈此れや〈此の】（連語）〔文〕これがまあ、あの（…なのか！）。

ころり（名）〔俗〕コレラの、明治時代の呼び名。

削 **第七版**（2014・平26）。紋綸子などと並ぶ高級な生地。「綸子」は明国以来ずっと載る。

削 **第二版**（1974・昭49）。語義は「性懲り」と同じ。「凝り性」ではない。

削 **第八版**（2022・令4）。「コサージュ」の項目内に残るが、フランス語の語義だった①の記述はない。

削 **第八版**（2022・令4）。NTTは2015年にサービスを終了。

削 **第八版**（2022・令4）。見坊豪紀曰く、語の「性質と国籍をつきとめるまでに一五年かかった」。が、十分に使われていなければ削除は免れない。

削 **第二版**（1974・昭49）。語釈の感嘆符に「そういう驚きが籠もっていたのか！」と感じ入る。

削 **第二版**（1974・昭49）。「ころりと死

こん（連体）〔俗〕「この」の変化。「―畜生（チクショウ）」

ごん・す（自・補動）〔活用は助動詞「ます」型〕〔俗〕ござんす。〔すもうとりなどが使う〕。「どで―〔＝どうです〕」

コンソレット（名）〔consolette〕「コンソール①」の小型のもの。

ぬ」の意味を込め、原語に通わせてこう呼ばれた。

削**第二版**（1974・昭49）。用例に見える「こん畜生」は第六版から立項。

削**第三版**（1982・昭57）。新明解国語辞典では今なお項目が立っていて、語釈も詳しい。

削**第六版**（2008・平20）。「コンソール①」は「足付きの、大型のテレビやステレオ」で、家具調の大がかりなもの。「コンソレット」は画面部分に丸脚を4本付けたような形状で、1950年代後半から出回った。

コンソレット

こんちわ〔名〕〔↑こんにちは〕〔俗〕〔すもうで〕八百長（ヤオチョウ）。こんちわずもう。

こんにゃく〔〈蒟蒻〉〕〔名〕

―ばん〔〈蒟蒻〉版〕〔名〕謄写版（トウシャバン）の一つ。ゼラチンや寒天で版をつくる。

コンパス〔名〕〔オ kompas〕

●コンパスが長い〔句〕歩はばが大きい。足が長い。

削**第六版**（2008・平20）。感動詞の「今日《こんち》は」は明国からある。

削**第二版**（1974・昭49）。簡易だが、ガリ版と比べると印刷可能な枚数が少ない、時間が経つと文字が消えるなどの弱点があった。

削**第八版**（2022・令4）。明国改訂版〜第二版では「コンパス」の用例にあり、第八版でもその語義は残るが〔古風〕とされた。

コンパスが長い

コンパルソリー (名)〔compulsory＝強制的な〕〔アイスダンスで〕決められた型のとおりにすべる競技。規定演技。コンパルソリー ダンス。

コンモン センス (名)〔common sense〕常識。共通感覚。コモン センス。

削 **第七版**(2014・平26)。２０１０年、パターンダンスに改称。第五版までは〔スケートで〕とあり、男女シングルの種目であったが、これは１９９１年廃止。☞スクールフィギュア(116ページ)

削 **第二版**(1974・昭49)。「コンミュニズム(communism)」「サンマー(summer)」など、「ン」が入るのが当時風。

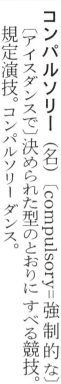

明国 1 — 改
三国 1 — 2
3 — 4
5 — 6
7 — 8

さしすせそ

ざあ（連語）〔↑ずは〕〔俗〕…なければ。ざ。〔未然形につく〕「知ら━言って聞かせやしょう」

サーズ［SARS］（名）〔↑severe acute respiratory syndrome〕《医》重症(ジュウショウ)急性呼吸器症候群(ショウコウグン)。SARSコロナウイルスによる新型肺炎(ハイエン)。

ざいソ［在ソ］（名）ソ連に・いる(滞在⦅タイザイ⦆する)こと。「━同胞(ドウホウ)」

サイド〔side=側面。方面〕

━アウト（名）〔side out〕〔六人制バレーボールで〕サーブ権が移ること。

削 **第三版**(1982・昭57)。第八版で復活し、同じ用例が採用された。同じく「ずは」から生じた「ずば」は明国改訂版以降、項目が存続。

削 **第八版**(2022・令4)。2003年に世界各地で流行。致死率がインフルエンザなどと比べて高かった。

削 **第二版**(1974・昭49)。用例の「同胞」も渋い。「反ソ」は同版で、「親ソ」「訪ソ」は第三版(1982)で削除。ソ連は1991年消滅。

削 **第五版**(2001・平13)。国際ルールでは1999年からラリーポイント制が代わって採用。なお「ラリーポイント」はその後立項されていない。

さいのろ（**ジー**）【〈妻▽鈍〉（ジー）】（名）〔「サイコロジー『＝心理学』」をもじったことば〕〔俗〕つまに あまくて、その言いなりになる・こと（人）。

さく（名）〔農〕くわで打ち返した・ところ（あとの、うね）。

さしつぎ【刺し継ぎ】（名・他サ）〔裁〕布地の弱ったところを（おなじ色の）糸で刺して強くすること。

サスプロ（名）〔←sustaining program〕民間放送局が、スポンサーをつけないで制作して放送する番組。自主番組。サスティニング プログラム。

さちわ・う【《幸う》】ーハフ（自五）〔文〕⇩さきわう。↷名 さちわい。

さつお【：猟夫】ーヲ（名）〔文〕かりゅうど（狩人）。

サック（名）〔sack＝ふくろ〕 ●**ーコート**（名）〔米 sack

削 **第六版**（2008・平20）。戦前の語。「さい」は「細君」の意とも。まず「サイノロジー」が造語されて「さいのろ」の形も生じた。同版以降は項目「死語」の用例で余生を送る。

削 **第二版**（1974・昭49）。農業関係の用語にも手厚かった。

削 **第二版**（1974・昭49）。他書は総じて今も掲載するが、三国は早々に削除した。

削 **第七版**（2014・平26）。初版で立項してすぐ消え、第五版で復活後また削除。放送黎明期には珍しくない形態だった。

削 **第五版**（2001・平13）。

削 **第五版**（2001・平13）。万葉集にもある古語。

削 **第八版**（2022・令4）。①はイギリ

さ

coat〕《服》①背広の上着。②赤ちゃんに着せる、ゆったりしたオーバー。

さな（名）〔こんろやストーブなどの〕火をのせる、格子（コウシ）形の板。

さら・える【〈：復習える〉】サラヘル（他下一）〔おもに芸事（ゲイゴト）で〕さらう。

サラセン（名）〔Saracen〕①〔特に、十字軍時代の〕アラビア人やイスラム教徒。②サラセン帝国（テイコク）。「ー文化（九世紀から十二世紀が全盛（ゼンセイ））」

サラン（名）〔Saran=商標名〕合成樹脂（ジュシ）の一種。じょうぶで、糸・網（アミ）・布・テント・食品を包むフィルム・人工芝（シバ）などに使う。「ーラップ」

スでは lounge jacket。②は和製用法と思われる。

削**第二版**（1974・昭49）。火格子《ひごうし》、ロストル（☞235ページ）とも。スノコ状のものを広く「さな」と言い、「桟」の意か。

削**第六版**（2008・平20）。初版でいったん削られ「復習《さら》う」の語釈末尾で語形を紹介する形に。第三版で再立項後、また削除され姿を消した。第八版では「復習う」中に「〔西日本で〕さらえる」として復活。

削**第七版**（2014・平26）。第二版で立った子項目「サラセン帝国」は、第六版で「イスラム帝国」への空見出しとなって、やはり第七版で消えた。

削**第七版**（2014・平26）。アメリカ生まれの「サランラップ」は旭ダウ（現・旭化成）が1960年発売。

サルバルサン（名）〔ド Salvarsan〕梅毒（バイドク）・マラリアによくきく薬。ひそ（砒素）をふくむ。六〇六号。

さわやま［沢山］サハー（名）〔古風〕多いこと。たくさん。「―にくだされた」

さんエスじだい⑤［三S時代］（名）スピイド（speed）・スポオツ（sports）・スクリイン（screen）〔またはセックス（sex）〕の三つが社会的に一番優勢な時代。現代。

さんか［産家］（名）〔最近〕子どもの生まれた家。

さんじゅう［三十・〈卅〉］（名）

三十面（ヅラ）**下げる** 句 三十歳代であることの、けいべつした言い方。

削 **第二版**（1974・昭49）。薬品の名もこの頃多く立項されていた。サルバルサンは1910年に発見され、40年代にペニシリンが実用化されると取って代わられた。

削 **第八版**（2022・令4）。「沢山《たくさん》」を訓読みした語。

削 **初版**（1960・昭35）。広辞林新訂版（1934）から引き継がれたモダン語。「スクリーン」＝映画だが、訳を「画面」にすれば今なお通用しそう。「現今は、三S時代だといふのは、この三つを理解しなくては現代人ではない」（『新語新知識』1934）

削 **第七版**（2014・平26）。

削 **第五版**（2001・平13）。「四十面下げる句」「五十面下げる句」も同時に削除。

さんじゅうご ミリ【三十五ミリ】(名) はばが三十五ミリの・写真(映画)のフィルム。

さんじゅうに そう【三十二相】(名) ㊀〔仏〕釈迦(シャカ)が持っていたという、三十二種のすぐれた顔かたち。㊁美人の、顔かたち いっさいのうつくしさ。「―そなわった」

さんずしゅぎ【三ず主義】(名) 〔俗〕ふまじめな一部のサラリーマンの処世術。おくれず、休まず、はたらか

[削]**第七版**(2014・平26)。当時一般的なカメラの規格。☞ライカ判(226ページ)

[削]**第二版**(1974・昭49)。㊁の用例は字義通り捉えてはならない。もし㊀の通りだと、扁平足で、指の間には水かきがあり、歯は40本備え、眉間から光を放つ。

[削]**第六版**(2008・平20)。第二版~第三版は「公務員の処世術」。「~ず」要素の組み合わせは別種が見つ

三十面下げる

四十面下げる

五十面下げる

ず、というやり方。

さんせい【産制】(名)〔↑産児制限〕子どもがうまれるのを制限すること。「―器具」

さんちょう【産調】(名)〔↑産児調節〕産制。

サンドイッチ(名)〔sandwich〕
―マン(名)〔sandwich man〕広告板またはびらを・からだの前後に下げて(持って)歩く人。

かるほか、全く独自の「～ず」を並べてモットーにする例もある。

削 **第七版**(2014・平26)。人口増と貧困を防ぐためとして戦前・戦後に議論が沸いた。避妊のことも指す。

削 **第七版**(2014・平26)。

削 **第三版**(1982・昭57)。明国は「サンドウイッチマン」。今でも見かけるため第七版で復活した。２００７年、お笑いコンビ・サンドウィッチマンがＭ-１グランプリで優勝。

サンドイッチマン

さんぷ［三府］〈名〉〔地〕東京府〔＝いまの東京都〕・大阪府・京都府。

―し［枝］〈造語〉〔文〕えだ（を かぞえることば）。

ジーアイ［ＧＩ］〈名〉〔米←Government Issue〕〔俗〕米国兵。

☆☆**ジーエイト**［Ｇ８］〈名〉〔←Group of Eight〕アメリカ・イギリス・イタリア・カナダ・ドイツ・日本・フランス・ロシアの八か国の首脳を中心とする国際会議。サミット。

シーキュー［ＣＱ］〈感〉ハム〔＝アマチュア無線通信家〕の呼び出しの あいず。〔だれでもいいから出てほしいときに使う〕

シージャック〈名・他サ〉〔seajack＝海のハイジャック〕汽船の乗っ取り。

削**第二版**（1974・昭49）。各府は１８７１年に設置され、うち東京府は１９４３年に東京都に改組。
削**第六版**（2008・平20）。
削**第二版**（1974・昭49）。原義は「官給品」。１９５１年頃には髪型「ＧＩ刈り」が流行し、60年代には兵隊の人形「ＧＩジョー」が発売。
削**第八版**（2022・令4）。２０１４年にロシアがクリミア半島へ侵攻したのを受け、同年以降はロシアを除いた７か国で開催。同版では代わって「Ｇ７」が立項。
削**第七版**（2014・平26）。アマチュア無線は戦後日本に広まり、１９９４年に無線局数のピークを迎えたが、現在はその３割以下。
削**第七版**（2014・平26）。同版から「ジャック」の注付き用例に。

シートピア（名）〔「シー〔＝海〕」と「ユートピア」の合成語〕海中居住基地。「―計画」

削 **第七版**（2014・平26）。1972年、日本のシートピア計画で実際に海中に居住する実験が行われた。一般名詞扱いに疑問が残る。

ジーマーク【Gマーク】（名）〔↑good design mark〕経済産業省によっていいデザインとされた商品につけられるマーク。

［ジーマーク］

削 **第七版**（2014・平26）。当初の語釈は「グッドデザインの商品にはりつけるマーク」だったが、第四版以降なぜか「グッドデザイン」（☞67ページ）の語が説明から消えている。

シーマン（名）〔seaman〕船員。海の男。「―シップ〔＝船員魂（ダマシイ）〕」

削 **第七版**（2014・平26）。英語のseamanshipは「操船航海術」の意で日本語とは異なる。

じおり【地織り】（名）その地方でできる、実用的な織物。

削 **第二版**（1974・昭49）。現代の意味「織物の柄で、地の部分」（日本国語大辞典）を載せる辞書はほぼゼロ。

しかみひばち【〈獅嚙〉み火〈鉢〉】（名）足・胴などに、しし（獅子）の顔をつけた、金属で作った丸火ばち。

削 **第二版**（1974・昭49）。獅子は魔除けのモチーフで、香炉や仏像などによく用いられる。

し

しかん【視×姦】(名・自サ) じっと見つめることで性的な行為(コウイ)の代わりとすること。

じきテープ【磁気テープ】(名)〔理〕録音・録画・コンピューター用などに使う、磁気をおびた材料を塗(ヌ)ったテープ。

じきゅう【自吸】(名)〔万年筆の〕↑自動吸入。「―装置」

しけん【試験】(名・他サ)
●**―じごく**【試験地獄】(名) 入学するために、競争のはげしい試験を受ける苦痛。受験地獄。

しこうしへい【至公至平】(名) この上なく公平なこと。

←**じじい**【《祖父》】ヂヂイ(名) 祖父(ソフ)。おじいさん。↷(↔ばばあ)

☆☆**しじょう**【市場】(名)

削 **第八版**(2022・令4)。

削 **第七版**(2014・平26)。第八版では「テープ③」の語釈で昔使われたものとされた。☞MD(34ページ)、テープデッキ(141ページ)、ビデカセ(179ページ)

削 **第二版**(1974・昭49)。1930年代から人気を集めたという。

削 **第八版**(2022・令4)。「地獄」の用例には残る。

削 **第八版**(2022・令4)。

削 **第五版**(2001・平13)。明国から「爺(じじい)」と並んで立っていた。第五版から「じじ」が立項。

削 **第八版**(2022・令4)。小泉政権の改革で2007年から本格的に導

●ーかテスト［市場化テスト］（名）《法》公共サービスの事業について、民間事業者と役所が対等な条件のもとで競争入札する制度。

したんかい［試胆会］（名）〔文〕勇気があるかどうかを実際にためす会。きもだめし。

じちだいじん［自治大臣］（名）〔法〕国務大臣のひとりで、自治省の長官。自治相（ジチショウ）。

しちよう［七洋］（名）〔地〕地球上の七つの海。北極海・南極海・北太平洋・南太平洋・北大西洋・南大西洋・インド洋。

シップ（名）〔植〕↑シプリペジューム。

じどう［自動］（名）

●ーけんばいき［自動券売機］（名）おかねを入れてボタンなど

入された。

削 **第七版**（2014・平26）。大正時代にも例があり「精神の修養をなす」と称して寺の境内をめぐったりした。

削 **第五版**（2001・平13）。同版刊行年に自治省は総務省に再編。「自治相」も削除。

削 **第七版**（2014・平26）。「世界の七洋に雄飛する」などの表現もあるが、社名や人名でよく見る語。「七つの海」の項目内に残る。

削 **第六版**（2008・平20）。☞シプリペジューム（103ページ）

をおすと、乗車券などが自動的に出てくる機械。

鉄道の自動券売機は1960年代以降整備が進み、効率化に貢献したが、近年ではSuicaなどICカードが普及したためもあって、存在感が薄れつつある。第五版(2001)と遅くに立項され、第八版(2022・令4)で削除された。

「自動券売機」のように、語が二つ以上組み合わさってできた語を複合語と言う。複合語は無数に作り出せるから、そのすべてを辞書で扱うことはできない。しかし、例えば「緑の羽根」(☞206ページ)は単に「緑」色をした「羽根」を指すわけではなく、二語の意味を足し合わせただけでは指示対象が正しくわからない。こうした複合語は辞書で説明する価値が大きい。一方、「自動券売機」は意味の単純な合成であり、「赤外線通信」(☞121ページ)の立項と削除に似た背景がある。

一行を惜しんで作られる小型辞書では、改訂時の見直しで単純な複合語を廃項とする判断が下るの

自動券売機

も、やむを得ない成り行きであろう。

シネラマ（名）〔Cinerama=商標名〕大型で湾曲（ワンキョク）した横長のスクリーンに、立体的に映像をうつす・方式（映画）。

しのうこうしょう【士農工商】（名）〔=武士・農民・職人・商人〕江戸（エド）時代の封建（ホウケン）社会を形づくる、すべての階級の人。

シプリペジューム（名）〔cypripedium〕《植》洋ランの一種。花はふくろのような形で、花弁にろう細工のようなつやがある。シップ。シップらん（蘭）。

しまいなく・す【▽蔵い無くす】シマヒー（他五）しまい忘れる。

削**第七版**（2014・平26）。二・八八対一の超横長スクリーンで、映写機も3台なら撮影カメラも3台用いられた。日本では1950年代に帝劇とOS劇場（大阪）で登場した。第四版でも削除したが第五版ですぐ復活。

削**第八版**（2022・令4）。近年、歴史研究が進んで教科書に記述されなくなっている。「四民」も同時に削除。

削**第八版**（2022・令4）。「シップ」（☞101ページ）に2版遅れて削除。

削**第八版**（2022・令4）。「しまい忘れる」の項目内に残る。

し

じみこん【(地味)婚】(名)〔俗〕結婚式・披露宴(ヒロウエン)の費用をひかえめにすること。(↔派手婚)

し・む【占む】(他下二)〔文〕しめる。「独自の地歩を—べきだ」

しめかす【《搾め〈滓】(名) 油をしぼったあとの かす。しぼりかす。

しゃえん【社縁】(名) 同じ会社に つとめていることから起こる、つながり。

しゃきゅう【砂丘】(名) ⇩さきゅう(砂丘)。

じゃくしん【弱震】(名)〔地〕戸やしょうじが音をたて、電灯の線などが わずかにゆれる程度の地震(ジシン)。震度(シンド)3にあたる。

じゃくとう【弱投】(名) 力のはいらない、よわい投球。

しゃけつ【〈瀉血】(名・自サ)〔医〕〔高血圧などの

削**第八版**(2022・令4)。2000年前後に流行。「派手婚」(☞174ページ)も同時に削除された。

削**第七版**(2014・平26)。文語形。

削**第二版**(1974・昭49)。「搾《し》め木《ぎ》」(第三版で削除)で大豆や鰊・鰯から油を搾り、かすは肥料にした。

削**第八版**(2022・令4)。人生での職場の重要性が増し、血縁・地縁以外の関係として現れた。☞求縁(60ページ)

削**第五版**(2001・平13)。

削**第五版**(2001・平13)。☞強震(61ページ)

削**第八版**(2022・令4)。

削**第三版**(1982・昭57)。〝悪血を除く〟という迷信ではなく真面目な治治療(チリョウ)のために〕静脈(ジョウミャク)から血液を流し出すこと。

しゃけん【社研】(名)↑社会(科学)研究。〔サークル・班・部などについて言う〕

しゃせん【社線】(名)〔↑会社線〕民営の鉄道線。〔もと、旧国鉄に対して言った〕

じゃっきゅう【若朽】(名)〔文〕若いくせに役に立たない〈こと／者〉。(↕老朽)

ジャパゆき(名)〔「からゆき」のもじり〕東南アジアから日本に出かせぎに来る人。「―さん」

しゃひん【社賓】(名) 会社のだいじな客分としてあつかわれる人。

シャルマン(形動ダ)〔フ charmant〕魅惑(ミワク)的。チャーミング。

シャワー (名)〔shower〕

療の記述。より有効な治療法が現れ、現在は行われない。

削**第八版**(2022・令4)。立項時は特にマルクス主義研究を念頭に置いていたか。

削**第八版**(2022・令4)。明国では対義語に「省線」(☞108ページ)を示す。

削**第八版**(2022・令4)。明国改訂版～三国初版には〔「老朽」に類推してつくったことば〕の注記がある。

削**第七版**(2014・平26)。1980年代の流行語。主に女性を指す。

削**第八版**(2022・令4)。かつての毎日新聞社における徳富蘇峰が一例。

削**第八版**(2022・令4)。「シャルマンな仏塔」という例も。

削**第二版**(1974・昭49)。初版まで

し

―**バス**（名）〔shower bath〕 水や湯を上から雨のように落としてあびる**装置**（の下で、あびること）。

しゅうせつ【終雪】（名）《天》その冬の、最後の雪。

じゅうそ【従組】（名）↑従業員組合。じゅうくみ。

じゅうたく【住宅】（名）

―**なん**【住宅難】（名）住宅が なくてこまる**状態**。

しゅうづら【《主面》】（名）主人ぶった顔つき。

じゅうてん【縦転】（名・自サ）たてに ころがること。前後に回転すること。

「シャワー㊁」には「↑シャワーバス」とあり、こちらが本項目だった。

削 **第八版**（2022・令4）。春の終雪を「名残り雪」とも言い、歌謡曲『なごり雪』（1974）より早く見坊豪紀は1965年の用例を採集していた。

削 **第八版**（2022・令4）。「じゅうくみ」も同時に削除。

削 **第二版**（1974・昭49）。何だか微笑ましい語釈だが、関東大震災や二度の大戦など住宅供給の問題は常にあり、1960年代に団地などの大規模開発を生み出した。

削 **第二版**（1974・昭49）。

削 **第二版**（1974・昭49）。明国の先祖筋に当たる広辞林新訂版（1934）では「飛行機の縦転」の用例が付く。意外と他書では立項されていない。

シューバ（名）〔ロ shuba〕毛皮の外套《ガイトウ》。

☆☆**じゅうよう**〔重要〕（形動ダ）●**―びじゅつひん**【重要美術品】（名）法律にもとづいて認定された、準国宝級の美術品。重美。

しゅくがく【粛学】（名・自サ）〔文〕大学を粛正《シュクセイ》すること。

ジュネス（名）〔フ jeunesse＝青春。青年〕若さ。若い女。

シュブング（名）〔ド Schwung＝ゆれ〕〔スキーで〕回転運動をするときに、からだを左右にふる動作。シュブンク。

しょうきゅうしゃ【消救車】（名）救急機能をそなえた消防車。消防救急車。

削 **第八版**（2022・令4）。

削 **第七版**（2014・平26）。1950年の文化財保護法以前に認定されたものを指す。「重美」は第八版で削除。

削 **第三版**（1982・昭57）。戦前の東大で起きた「平賀粛学」事件のほか、戦後、学生運動に加担した学生を大学が処分した際にも言われた。

削 **第六版**（2008・平20）。1960年代に「ジュネス・ミュジカル」が発足し、ファッションは「ジュネス・ルック」が雑誌を飾った。

削 **第八版**（2022・令4）。ターンの一種。戦後のスキーブームの頃に立項された。☞クリスチャニア（68ページ）

削 **第八版**（2022・令4）。2005年に配備開始。消防庁での呼称は消

し

じょうごわ【情《強》】ーゴハ（名・形動ダ）強情（ゴウジョウ）な・こと（人）。かたいじ。

じょうさま【上様】（名）〔文〕⇩うえさま②。

しょうせん【省線】（名）「国鉄線」・「国電」の、もとの呼び方。

しょうとくたいし【《聖徳太子》】（名）〔聖徳太子〘‖六〇四年に十七条憲法を定めた皇太子〙の像が印刷されていたことから〕もと、一万円札の俗称。

聖徳太子の一万円札が発行されたのは1958年から86年まで。項目はやや遅れて第二版（1974）で登場し、その分長く生き残って第五版（2001・平13）で削除。50年から65年には聖徳太子の千円札、57年から86年には五千円札も発行さ

防救急車。

削**第二版**（1974・昭49）。「情弱」の対義語「情強《じょうきょう》」（情報強者）ではない。

削**第七版**（2014・平26）。領収書などで宛名に書くもの。

削**第二版**（1974・昭49）。明国では「㊀鐵道省で管理・經營する汽車・電車の線路（↔社線）」。第七版で復活。

れ、「聖徳太子の御助勢は無用（＝千円未満）」などの実例があった。そのためか第二版の当初（1974年1月1日発行第1刷）は「俗に、千円札」という語釈であった。だが一万円札がすでに当時の主流であり、同じ版の第8刷（1977年10月1日発行）において「俗に、一万円札」に修正されている。

キャッシュレス決済がますます浸透する中で、2024年に福沢諭吉の一万円札が渋沢栄一に交代したとき、俗称「諭吉」の跡を「栄一」は継げるだろうか。

聖徳太子（上・旧千円札、下・旧一万円札）

☆☆**しょうひ**［消費］（名・他サ）

●**―くみあい**［消費組合］―クミアヒ（名）《経》「生活協同組合」の古い呼び名。

削 **第八版**（2022・令4）。消費生活協同組合法（1948）で生協に改組された後も項目は残っていた。

しょうひん［商品］（名）

削 **第六版**（2008・平20）。②末尾の情

し

●━めい［商品名］（名）①特定の商品をさす呼び名。例、えんぴつ・バッグ。②登録商標。例、あけぼの印（ジルシ）・キャタピラー。〔この辞書で注記に使っている「商品名」は、②の意味〕

じょうひん［上品］（形動ダ）

●**上品にできている** 句 乱暴にあつかうと、こわれやすい。

しょおーしゅう ⓪［召集］セウシフ（名）

━ー**れえじょお** ⑤［召集令状］ーーレイジャウ（名）【軍】在郷軍人、又は國民兵を召集する令状。普通淡紅色。赤紙。

しょおーねん ⓪［少年］セウーー（名）

━ー**こおくうへえ** ⑦［少年航空兵］ーカウーーヘイ（名）【軍】徴兵適齢以前に陸海軍の航空兵に採用された者。雛鷲。若鷹。

報が重要だったが、肝心の注記が第五版までの「商品名」（例「ファミコン」（☞182ページ））から第六版で「商標名」（例「コーク」（☞82ページ））に変更され、項目ごと削除。

削 **第八版**（2022・令4）。第二版での注付き用例が第三版で句見出しに昇格したもの。

削 **明国改訂版**（1952・昭27）。いわゆる「赤紙」だが、「普通淡紅色」の通り、必ずしも真っ赤だったわけではない。

削 **明国改訂版**（1952・昭27）。「少年航空兵の愛称」として立っていた「雛鷲」「若鷹㈡」も削除。

しょおーひ ⓪〔消費〕セウー〔名〕 **——ぜえ** ③〔消費税〕ーゼイ〔名〕【経】財貨を消費することによって課せられる税。直接税(例、遊興税)・間接税(例、酒造税)の二種がある。

じょきょうゆ〔助教諭〕〔名〕教諭より一級下の教員。もとの代用教員。

しょくぎょう〔職業〕〔名〕 ● **——やきゅう**〔職業野球〕〔名〕プロ野球。

しょくにん〔嘱任〕〔名・他サ〕〔大学などで〕任務をまかせること。「新規——」

じょさん〔助産〕〔名〕 ● **——ぷ**〔助産婦〕〔名〕助産師の、もとの呼び名。

削 **明国改訂版**(1952・昭27)。1989年に税率3%の消費税が導入され、第四版で復活。

削 **第三版**(1982・昭57)。代用教員は教員不足で雇われ、特に1943年以降「助教諭」とも呼ばれたが正式には「助教」だったようだ。

削 **第六版**(2008・平20)。同版で「職業」の注付き用例になった。第八版ではそれも消え、「プロ野球」内には残るが〔古風〕の注が付いた。

削 **第八版**(2022・令4)。早大など一部での用語。任期満了すると「解任」になる。

削 **第七版**(2014・平26)。第六版で並び立った「助産師」の補注に吸収され、過去の語形として説明される。

じょそう【除霜】(名・自サ)〔電気冷蔵庫などの〕しもとり。

じょぞく【女族】(名)〔文〕女性を一つの種族のように見なして言うことば。

ジョッギング(名・自サ)〔jogging〕ジョギング。

ショッピング(名)〔shopping〕 ●**—カー**(名)〔←shopping cart〕買い物用の、手で引く小さな車。

じょへい【女兵】(名)女性の兵士。

しょみん①【庶民】(名) **—ぎんこお**④【庶民銀行】—コウ(名)㊀庶民階級の金融のために設けられた銀行。㊁〔俗〕質屋。一六銀行。

削**第八版**(2022・令4)。冷蔵庫は1960年代に爆発的に普及した。

削**第八版**(2022・令4)。対義語となりうる「男族」がないことに留意したい。

削**第七版**(2014・平26)。立項は「ジョギング」と同じ第三版。第七版からは「ジョギング」の項目末尾に「ジョッキング」とともに〔古風〕として残る。

削**第六版**(2008・平20)。同版から見出し語が「ショッピングカート」に変わり、その同義語として載る。

削**第七版**(2014・平26)。

削**初版**(1960・昭35)。㊀は大蔵省も用いた正式な用語。現行の中型辞書は㊁の俗な意味だけを採る。

しろたばいばい〔白田売買〕(名)〔経〕田に雪のあるうちに、翌年度とれる米の売買の契約をすること。

しんしょう〔心障〕(名) ↑精神障害。「―児」(↕身障)

シンジング(名・自サ)〔singeing〕かみの毛の先をこてで焼くこと。

しんすい〔神水〕(名)〔文〕㊀神にそなえる水。㊁ふしぎなききめがあるという水。

削 **第二版**(1974・昭49)。青田・白田のほか「黒田売買」(田植え前の売買)という語もあるが、採録はせず。

削 **第五版**(2001・平13)。現在では差別的な語感を伴う。対義語「身障」も同版で削除。

削 **第七版**(2014・平26)。抜け毛防止のためとして行われた。

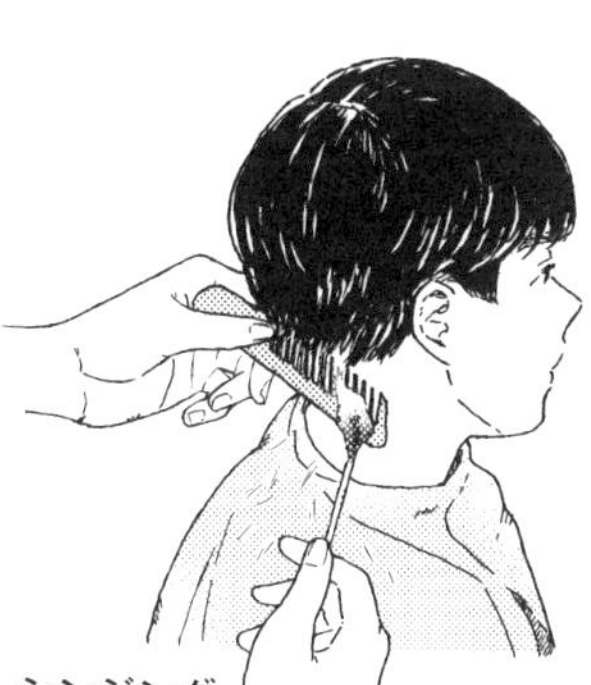

シンジング

削 **第三版**(1982・昭57)。㊁の語釈は明国改訂版まで「霊験のある水」。

↑☆☆**じんせい**［人生］（名）●**人生の お荷物** 句 〔俗〕〔自分の〕子ども。

しんだい［身代］（名）●**ーかぎり**［身代限り］（名・自サ）〔文〕破産。

じんにゅう［人乳］（名）《医》〔赤んぼうに飲ませる〕人間の ちち。

すあぶら［酢油］（名）●**ーソース**［酢油ソース］（名）フレンチ ドレッシング。

スイート〔sweet〕●**ーメロン**（名）〔和製英語 sweet melon〕果肉の黄色いマクワウリ。

すいし［水試］（名）↑水産試験場。

すいしん［推進］（名・他サ）●**ーき**［推進器］

[削]**第六版**（2008・平20）。親子愛を描く同名のコメディ映画が1935年に公開され、60年頃にそのテレビドラマ化が相次いだため立項されたか。

[削]**第八版**（2022・令4）。同版で「身代」の注付き用例に格下げ。

[削]**第八版**（2022・令4）。母乳のこと。

[削]**第八版**（2022・令4）。初版の見出しは「すあぶら(ソース)」。

[削]**第七版**（2014・平26）。黄金まくわ瓜のこと。1960年代までよく出回ったが、プリンスメロンなどに取って代わられた。

[削]**第七版**（2014・平26）。明国改訂版〜三国初版の語釈は「↑水産試験所」だった。

[削]**第八版**（2022・令4）。同版で「推

（名）船や飛行機などを進める装置。スクリューやプロペラなど。

すいちょく〔垂直〕（名・形動ダ）

●**ーとび**〔垂直跳び〕（名）その場に立ったまま、真上にとび上がる運動。

すいり①〔推理〕（名・他サ）

●**ーしょおせつ**④〔推理小説〕ーショウー（名）たんてい小説の改称。

スーパー〔super〕

●**ーりんどう**〔スーパー林道〕（名）過疎《カソ》地帯の生活や観光のための道路としても使える、りっぱな林道。

スカイ（名）〔sky〕

●**ーラブ**（名）〔米 skylab〕長期間乗りこんで研究をするために造った人工衛星。人工衛星研究室。

スカイ（造語）〔sky〕

●**ージャック**（名）〔skyjack〕ハイジャック。

進」の注付き用例に降格した。

削 **第八版**（2022・令4）。1999年に文科省のスポーツテスト（体力・運動能力調査）から削除された。

削 **初版**（1960・昭35）。「偵」が制限漢字（☞120ジー）だったため言い換え語として普及。なお、明国改訂版から「ミステリー」の項目内にある。

削 **第八版**（2022・令4）。1960年代から開発され、環境破壊だとして反対運動も起こった。

削 **第七版**（2014・平26）。1973年打ち上げの、アメリカの宇宙ステーション。79年に地上へ落下して騒ぎになった。一般名詞扱いは疑問。

削 **第八版**（2022・令4）。1970年のよど号事件以降に聞かれた語。

す

す

すがすが〔《清清》〕(副) さっぱりとして気持ちいいようす。

スクール(名)〔school〕 **――フィギュア**(名)〔school figure〕〔スケートで〕「コンパルソリー」の、もとの呼び名。(↔フリー スケーティング)

スコール(感)〔デンマーク skål〕乾杯(カンパイ)。

スターリング(名)〔sterling〕〔経〕イギリスの、純銀の正貨。ポンド。「―地域」

スタント(名)〔stunt=はなれわざ〕 ●**―マン**(名)〔stunt man〕〔映画で〕主人公などが演じる危険な役を代わってする人。吹(フ)き替(カ)え。

削**第五版**(2001・平13)。第二版で消えて第四版で復活したが、すぐまた消えた。初版までは「さっぱりとして」ではなく「さわやかで」。

削**第四版**(1992・平4)。1960年頃まで用いられた呼称。明国から「スクール㊂」にもあったが、それも第五版で削除。☞コンパルソリー(91ページ)

削**第七版**(2014・平26)。南日本酪農協同の清涼飲料「スコール」は1972年発売。☞プロージット(190ページ)

削**第二版**(1974・昭49)。用例「スターリング地域」はかつてイギリス連邦諸国が該当したが、1972年からイギリスとアイルランドのみに。

削**第八版**(2022・令4)。説明が「スタント」に付け替えられた。同版では「ステーツマン」「フロッグマン」「ラインズマン」も消えた。

スチュー（名）〔stew〕《料》⇩シチュー。

スチュワード（名）〔steward〕旅客機の男性客室乗務員。〔今はキャビン アテンダントなどと言う〕（↔スチュワーデス）

スッチー（名）〔俗〕スチュワーデス。

ステートアマ（名）〔↑ステート アマチュア〕国の費用で養成する選手。国家選手。

スト（名）●**ストが倒**（タオ）**れる** 句 ストがとちゅうで中止になる。（↔ストを打ち抜（ヌ）く）他動 ストを倒す。

ストやぶり［スト破り］（名・自サ）ストライキの・約束を破る（効力をうしなわせる）ような行動をとる・こと（人）。

スナック（名）〔snack〕●**――バー**（名）〔snack bar〕かんたんな食事

削 **第八版**（2022・令4）。古風な語形。

削 **第八版**（2022・令4）。男女雇用機会均等法（1997）をきっかけに用いられなくなった。「スチュワーデス」の項目はまだあり、その補注に残る。

削 **第八版**（2022・令4）。1980年代後半、作家・田中康夫が広めた。

削 **第八版**（2022・令4）。純粋なアマではない、という含みのある語。

削 **第八版**（2022・令4）。対義語として「ストを打ち抜く」が拾われていたのにも注目。

削 **第七版**（2014・平26）。同版から、「スト権」「ストを打つ句」「ストを配置する句」と併せて「スト」の用例に降格した。

削 **第七版**（2014・平26）。同版から説明を「スナック」に移した。

もできるバー。スナック。

スパルタキアード（名）〔ロ spartakiada〕 四年に一度開かれる、もとソ連の体育大会。

スペース（名）〔space〕

●**ーシャトル**（名）〔space shuttle〕 NASA（ナサ）が開発した、地球と宇宙空間をくり返し往復できる宇宙船。宇宙連絡（レンラク）船。

削 **第五版**（2001・平13）。第1回ソ連スパルタキアード競技大会は1956年開催。91年にソ連がなくなり自然消滅した。

削 **第八版**（2022・令4）。1981年に初飛行し、2011年に運用を終了した。

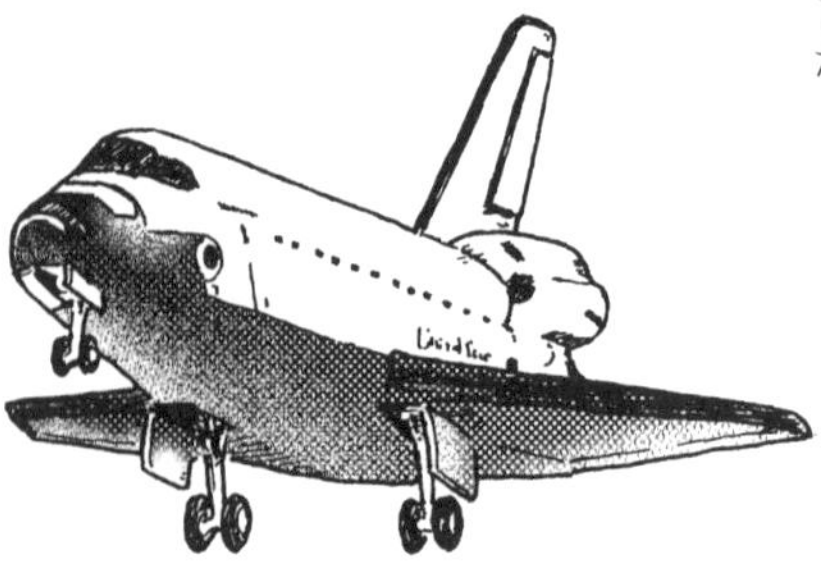
スペースシャトル

ずべ・る（自五）〔俗〕なまける。ずるける。

スマック（名）〔smack〕㊀香味。㊁〔↑アイス スマック (ice-smack)〕いろいろの味をつけて、角形に固めたアイスクリーム。

スリー（名）〔three〕

●ーウエー（名）〔three-way〕①三とおりに使い分けられること。「ー受信機」②音を、三つに分けて受け持つこと。「ースピーカー」

スリーマー（名）〔slimmer〕《服》腰（コシ）より すこし長めの、女性用の はだぎ。スリーマ。

すんたいしゃくしん〔寸退尺進〕（名）〔文〕すこし下がっては、たくさん進むこと。

せいかん〔政管〕（名）↑政府管掌（カンショウ）。「ー健保」

㊔**第二版**（1974・昭49）。新明解国語辞典は今も立項する。

㊔**第二版**（1974・昭49）。㊁は東京スマック商会から１９３１年発売だが、円筒形。古川緑波《ろっぱ》が38年の日記に豊島園で「スマックアイスクリーム喰ひ競走」をしたと記す。

㊔**第七版**（2014・平26）。「スリーウエースピーカー」は低・中・高音を三つのスピーカーに分けて再生するシステムで、初版から「ウエー」（第八版は「ウェイ」）の用例にある。

㊔**第八版**（2022・令4）。初版は「スリ（ー）マー」。商品名としては現役。

㊔**第三版**（1982・昭57）。対義語は「寸進尺退」。

㊔**第七版**（2014・平26）。社会保険庁の運営した「政管健保」は、２０

せ

せ

せいげん【制限】(名・他サ)
―かんじ【制限漢字】(名) ㊀当用漢字のこと。「『犬』は―にある」 ㊁当用漢字以外の漢字。「『猫(ネコ)』は―だ」

ぜいせい【税制】(名) ●**―てきかくねんきん**【税制適格年金】(名) 企業(キギョウ)年金の一種。国税庁が認可し、一定の優遇(ユウグウ)税制が適用される。

せいむ【政務】(名) **―じかん**【政務次官】(名) 〔法〕大臣をたすけて政策を決め、政治上の事務を処理する役の人。政権をにぎっている政党の国会議員からえらぶ。(↔事務次官)

ぜいメン【税メン】(名) 〔俗〕税務署の役人。特に、調査係。

←**せいや**【清夜】(名) 〔文〕よくはれたさわやかな夜。

08年から「協会けんぽ」に移行。

削**第三版**(1982・昭57)。現在の常用漢字表は「目安」を示すが、当用漢字表(1946)は「範囲」を区切っていた。☞推理小説(115ページ)

削**第八版**(2022・令4)。税制適格退職年金、略して「適年」は1962年に発足し、一般的な退職年金制度だったが、2012年に廃止。

削**第五版**(2001・平13)。2001年に職位が廃止され、政務官と副大臣が設けられた。

削**第六版**(2008・平20)。遅くとも戦後には実例がある。

削**第七版**(2014・平26)。「清夜に月

せえーじ ⓪〔政治〕セイヂ（名）

ーきょお ③［政治狂］ーキャウ（名） 政界の出來事に熱中して奔走する人。

セーリング ポイント（名）〔selling point〕〈経〉 セールス ポイント。

せきがい せん〔赤外線〕（名）

●**ーつうしん**［赤外線通信］（名） 携帯（ケイタイ）電話どうしを近づけて、赤外線によってデータをやりとりする通信。

携帯電話の普及で「メールアドレス等を交換する機能」という限定的な意味が日常的に用いられるようになって第七版（2014）で掲載された。その後、赤外線通信機能を持たないスマホの広がりによって上記の意味は聞かれなくな

光を賞し」（永井荷風『日和下駄』1915）

削 **明国改訂版**（1952・昭27）。「政治狂に感染し」「彼の政治狂は」のように性質にも言った。

削 **第六版**（2008・平20）。「セールスポイント」は和製英語で、英語としてはこちらがよい。

り、第八版(2022・令4)ですぐに削除。刊行後、「赤外線による通信」自体はリモコンなど幅広く現役なのに廃項とした判断への疑問も見かけたが、上記のような事情だったためと考えられる(☞自動券売機(101ページ))。

携帯電話は1990年代以降、必需品への地位を駆け上り、2000年代前半には年間約4千万台以上が出荷された。第五版(2001)では「ｉモード」(☞16ページ)、「着メロ」(☞136ページ)、「Ｐメール」(☞177ページ)、「ピッチ」(☞179ページ)、第六版(2008)では「携帯メール」(☞74ページ)、「着うた」(☞135ページ)、第七版では「携番」(☞74ページ)が立項。しかし08年発売のiPhone 3Gを皮切りにスマートフォンへの代替が進み、世相の移ろいを反映して上記各項目は削除されている。「メル友」(第六版立項)、「写メ」(第七版で「写メール」から見出し語変更)はなおも命脈を保つが、今後の動向を見守りたい。「ワン切り」は第六版で立項、第七版で削除、そして第八版で復活と

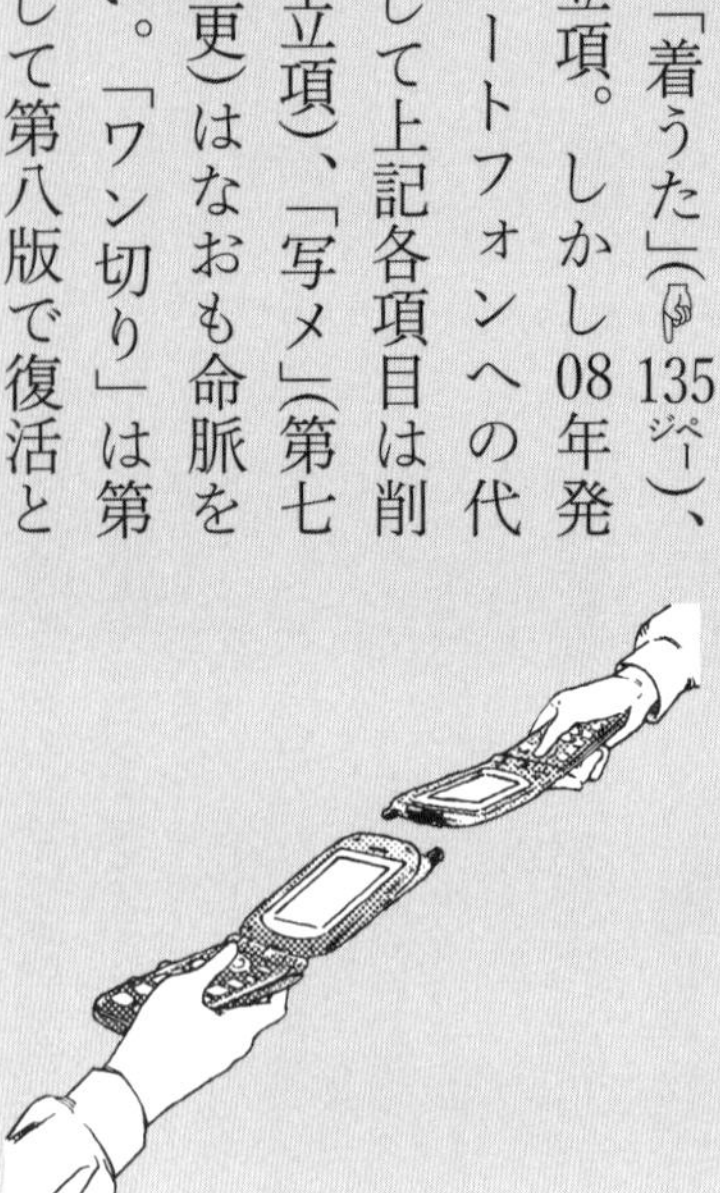
赤外線通信

忙しくしている。
なお、90年代によく使われた「ポケットベル」「ポケベル」は第三版(1982)で立項され、現在も消えていない。

ゼスチュア〔名〕〔gesture〕⇩ジェスチャー。

せたい【世代】〔名〕せだい。

せつ【接】〔名〕〔電気器具の〕回路が つながっている状態。また、その記号。「スイッチを—に入れる」(↔断)

せつエネ【節エネ】〔名〕エネルギーの節約。省エネ。

せっし【:摂=氏】〔名〕

—かんだんけい【:摂=氏寒暖計】〔名〕〔理〕セルシウス(Celsius)の考案した寒暖計。水の

削**第七版**(2014・平26)。明国改訂版では本項にも「ジェスチャー」にも語釈が付されていた。「ゼスチャー」の見出し語は初版以降あり。

削**第六版**(2008・平20)。項目「せだい」には記述のなかった読み方。ラジオからの用例採集の成果。

削**第五版**(2001・平13)。ブレーカーやクラッチを「接断器」と言う例も。

削**第六版**(2008・平20)。行政方面では今も生き残る語。

削**第五版**(2001・平13)。なおレオミュールの発明した「列氏寒暖計」は第二版で削除。☞華氏寒暖計(45

氷点(ヒョウテン)を零(レイ)度、沸点(フッテン)を百度とする〔記号C〕。

せつまい【節米】(名・自サ) 米を節約して使うこと。

せとびき【瀬戸引き】(名) さびないように、鉄のなべなどの表面にほうろう(琺瑯)質のうわぐすりを塗(ヌ)って、焼きつけ・ること(たもの)。せとひき。「―なべ」

ゼネレーション(名)〔generation〕⇩ジェネレーション。

セブンティーン(名)〔seventeen〕十七歳(サイ)の少女。

せんいちや【千一夜】(名)〔アラビアン ナイト『=千(夜)一夜物語』から〕長く続く読み物や放送番組の題目などにつけることば。千夜一夜。

ページ)

削**第三版**(1982・昭57)。1950年代まで言われた。食糧難の頃には「節米の母」「節米の父」と称してふくらし粉や焼き芋が売られたとか。

削**第四版**(1992・平4)。明国～改訂版は「せとひき」。

削**第八版**(2022・令4)。「ジェネレーション」の項目内に残る。

削**第六版**(2008・平20)。語釈で「少女」と限るのが他書と一線を画す。女性ティーン向け雑誌『週刊セブンティーン』は1968年創刊。

削**第七版**(2014・平26)。「千夜一夜」も同版で削除。

ぜんがくれん【全学連】(名) もと、「全日本学生自治会総連合」の略称(リャクショウ)。はげしい学生運動で知られる、学生の団体。

ぜんかん【善感】(名・自サ)〔医〕種痘(シュトウ)などがよくついて(=感染して)有効であること。(↔不善感)

せんしゅう【先〈蹴】(名・自サ)〔しゅう球で〕さきにけりはじめること。キックオフ。

ぜんてい【全逓】(名)↑全逓信労働組合。

ゼントルマン(名)〔gentleman〕ジェントルマン。

せんにん【千人】(名) **●ーぎり**

【千人切り・千人斬り】(名)①うでだめしや悲願をとげるために、千人の人を切り殺すこと。②〔俗〕千人

削**第六版**(2008・平20)。「はげしい学生運動で知られる」は第二版から、「もと」は第三版からの記述。

削**第五版**(2001・平13)。天然痘を予防する種痘は、日本では1972年から義務ではなくなり、行われなくなった。

削**第二版**(1974・昭49)。戦前のスポーツ記事に用例があり、ラグビーでも言った。「慶應の先蹴で開始したが」(『運動年鑑 大正12年度』)

削**第五版**(2001・平13)。

削**第七版**(2014・平26)。「ジェントルマン」の項目内に〔古風〕として残る。第二版で削除後、第四版で復活。

削**第八版**(2022・令4)。辞書としては、文字通りの解釈では通らない②が大事だが、性俗語を縮小する編

もの女性とまじわりを持つこと。

ぜんぱ【全波】(名) すべての波長〔=短波・中波・長波〕の電波。オール ウエーブ。

そうえん【荘園】(名) 昔西洋で、貴族などの所有地に建てた屋敷(ヤシキ)・別荘(ベッソウ)。しょうえん。

そうぎん【相銀】(名) 〔経〕↑相互銀行。

ぞうこく【造石】(名) 〔経〕酒・しょうゆなどの生産。「高。「―税」

ぞうひん【×贓品】(名) 《法》ぬすみ・すりなどによって得た品物。贓物(ゾウブツ)。

ソークワクチン(名) 〔Salk〔=人名〕+ドVakzin〕

集方針のあおりで①ごと削除。

削 **第二版**(1974・昭49)。ラジオでは中波はAM、超短波はFM。戦後、短波の受信が解禁され「全波ラジオ」が広く売り出された。

削 **第八版**(2022・令4)。明国は「しょおえん」への空見出し。

削 **第五版**(2001・平13)。企業形態としての相互銀行は1992年に消滅しており、項目「相互銀行」も一足早く第四版で削除。

削 **第二版**(1974・昭49)。用例の「造石税」は1880年~1944年、酒類に課された。現行の酒税は製造時ではなく蔵出しの時点でかかる。

削 **第八版**(2022・令4)。代わって立項された「贓物」の項目内に残る。

削 **第六版**(2008・平20)。1954年

〔医〕小児まひ(麻痺)を予防するために、接種(セッシュ)するワクチン。

ソオダ ① [オ・英 soda＝:曹達](名)

ーファウンテン ④ [米 soda-fountain](名) ㊀ソオダ水の容器。㊁ソオダ水・ビイルなどを飲ませる店。

ソープレス(名)〔soapless〕「ーソープ(soap)」〔＝せっけん分をふくまない、中性の合成洗剤〕」

そくじつ [即実](名)〔文〕事実に即すること。「ー的」

そくじょう [速醸](名・他サ) 短い時間で醸造(ジョウゾウ)すること。「ーしょうゆ」

そけい [粗景](名)〔＝そまつな景品〕〔文〕客に出す景品をけんそんして言うことば。粗品(ソシナ)。

に米国で開発され、日本では61年から全国一斉接種を実施して、ポリオを激減させた。

削 **初版**(1960・昭35)。「容器」とあるが、ビールのタップのような注ぎ口がついたサーバーを指したようだ。チョコレートファウンテンみたいに湧き出るわけではない。

削 **第二版**(1974・昭49)。用例を掲げるために立項。1951年発売「花王粉せんたく」(のちの「ワンダフル」)は、この種の洗剤の先駆。

削 **第二版**(1974・昭49)。「エビデンス」「ファクト」などと片仮名に頼らずともこのような表現があった。

削 **第二版**(1974・昭49)。添加や温度管理によって発酵を速める。

削 **第八版**(2022・令4)。明国の第1表記は「麁景」。

そ

ソドム〔名〕〔Sodom〕〔宗〕旧約聖書に出てくる都市の名。罪悪と男色(ダンショク)がはびこり、エホバの神にほろぼされた。

ソノシート〔名〕〔和製英語 Sonosheet＝商品名〕フォノシート。

そは【粗葉】〔名〕①質のよくない お茶の葉。②客にすすめるお茶を けんそんして言うことば。

[削]**第七版**(2014・平26)。残酷な描写で話題になったイタリア映画『ソドムの市』(1976)が採録のきっかけか。「ゴモラ」は立項せず。

[削]**第四版**(1992・平4)。日本では1959年以降、雑誌形式や付録が多かった。☞フォノシート(185ページ)

ソノシート

[削]**第八版**(2022・令4)。初版までは他書と同様にタバコの謙称としていた。第四版で茶葉の意味で復活。

☆☆**そんざい**［存在］（名・自サ）

●**ーしょうめい**［存在証明］（名）〔哲〕アイデンティティー。

ぞんじ［存じ・存：知］（名）

●**ーがけな・い**［存じ（掛け無い）］（形）〔古風〕「思いがけない」の謙譲（ケンジョウ）語。

削 **第六版**（2008・平20）。第五版までは項目「アイデンティティ（ー）」の同義語としても記されていたが、第六版でその記述も削除。

削 **第八版**（2022・令4）。「存じがけもない」のような言い方もある。

明国 1 改
▼
三国 1 2 3 4 5 6 7 8

ターレット（名）〔turret＝城の、小さな塔（トウ）〕撮影（サツエイ）機の、いくつかのレンズをとりつけた部分。

たいがん【対〈癌】（名）〔文〕がんに対する治療・予防・研究など。「━協会」

たいきょう【対共】（名）共産・党（主義）に対（して）すること。「━政策」

だいぞく【大賊】（名）ひじょうに わるい賊。

削**第三版**（1982・昭57）。ここでのturretは塔よりも「回転式の装置」ではないか。市場で見る「ターレ」はturret truck（＝フォークリフトなど小回りが利く作業車全般）の略で、第八版にて立項された。☞タレット旋盤（133ページ）

削**第二版**（1974・昭49）。初版立項時は肺炎・結核での死亡が減少し、癌が注目された時期。１９５８年、日本対ガン協会（現・日本対がん協会）設立。☞癌ノロ（54ページ）

削**第二版**（1974・昭49）。「反共」「防共」「容共」は現在も残る。

削**第二版**（1974・昭49）。「甚だわるい賊」。平易ゆえに、明国ではどう

だいに【第二】(名)
――がいしゃ【第二会社】(名)〔経〕経営の不振(フシン)を立てなおすために、新しい資産によってつくった会社。

だい-にっぽん⑤【大日本】(名)
――-ていこく⑦【大日本帝國】――テイ――(名) 我が帝國の國號。

ダイヤモニア (名)〔diamonia〕人造ダイヤモンドの一種。本物とそっくりに見える。

だいよう【代用】(名・他サ)
――しょく【代用食】(名) 米のかわりにたべる主食。例、パン・うどん・いも など。

ダクロン (名)〔Dacron=商標名〕アメリカで発明さ

にも迫力を欠く。

削 **第三版**(1982・昭57)。1960年代以降、不採算の鉱山部門が第二会社に分離される出来事が相次ぎ、労働環境をめぐって労使の対立が起こった。

削 **明国改訂版**(1952・昭27)。明国の新規項目だったが、戦後すぐに削除。

削 **第七版**(2014・平26)。1969年にアメリカで開発され、折からの「宝石ブーム」に乗って70年代に流行。

削 **第二版**(1974・昭49)。第八版で復活し、「②他の食材の代わりにする食べ物。「ウナギの―」」の語義が加わった。

削 **第七版**(2014・平26)。1950年代に生産が始まったポリエステル。

た

れた、じょうぶで軽い合成繊維(センイ)。

ただみる①-①【《唯見る》】(連語)〔文〕ひたすら…を見るばかり。ただもう見る限りの。「ー一面の焼野原」

たてめし【縦飯】(名)〔俗〕日本料理。和食。(↔横飯)

たにま【谷間】(名) ●**ーの(ひめ)ゆり**【谷間の《姫》:百合】(連語) スズラン。〔英語の lily of the valley〖=ドイツスズラン〗を文字どおりに理解してできたことば〕

タブレット (名)〔tablet〕 ●**ーピーシー**【タブレットPC】(名) 液晶(エキショウ)画面にペンで文字や絵を入力する、携帯(ケイタイ)型のパソコン。

同じ繊維を指す別商標「テトロン」は現在も見出し語がある。

削 **初版**(1960・昭35)。迫力ある用例に世相が現れる。自明な連語のためか、明国改訂版のみでお役御免。

削 **第七版**(2014・平26)。1980年代からの語で外国駐在の商社マンが使った。「ヨコメシ」は同版で〔少し古い言い方〕とされ、今も残る。

削 **第七版**(2014・平26)。明治期には例がある。岩波文庫のアナトール・フランス『少年少女』(1937、三好達治訳)の表現が1970年代に採集され載ったものか。

削 **第七版**(2014・平26)。同版から立項された「タブレット端末」の項目内に言い換え語として残る。説明も5行に増加。

ダベリング（名・自サ）〔「だべる」を英語ふうに言うことば〕〔学〕だべること。

ためぬり【〈溜め塗り】（名）赤黒い うるし塗り。もと、皇族の乗り物に塗った色。

だらかん【だら幹】（名）〔↑堕落（ダラク）した幹部〕〔俗〕だらしのない（組合の）幹部。

だれ【（×誰）】（代） ●**だれが！** 句 〔↑だれがするものか〕自分は絶対にし（てい）ない。

タレットせんばん【―旋盤】（名）〔turret〕タレット〔‖旋盤の上のほうにおいて、いろいろの工具を取り付ける台〕が回って、いろいろな加工が続けてできるようにした旋盤。ターレット。

たわやす・し【（:容易し）】タハー（形ク）〔雅〕たやすい。「たわやすく我はうべな（諾）う」

削**第六版**（2008・平20）。見出し語は片仮名で外来語扱い。☞テクシー（142ページ）

削**第二版**（1974・昭49）。第2文が魅力的。

削**第七版**（2014・平26）。労働運動の用語。1920年代から「堕落幹部」の語があり、「だらけた幹部」というよく聞く語源説は違う模様。

削**第六版**（2008・平20）。新明解国語辞典では今も説明が載る。

削**第二版**（1974・昭49）。英語turret（☞130ページ）には戦車や戦艦の「（回転式の）砲塔」の意味があり、盤を回すことからこの名が付いたのだろう。

削**第八版**（2022・令4）。明国改訂版の表記は「たは易し」。

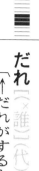

タワリシチ（名）〔ロ tovarishch〕なかま。同志。タワーリシ（チ）。

だん【男】（名）〔文〕①おとこ。②むすこ。▽（↔女（ジョ））

だんきょう【団協】（名）↑団体協約。

ダンケ（感）〔ド danke〕ありがとう。

たんじゅう【炭住】（名）↑炭鉱従業員住宅。

たんだい【探題】（名）〔歴〕鎌倉（カマクラ）・室町（ムロマチ）時代に、幕府（バクフ）が だいじな土地に置いて情報を集め、政治をおこなわせた職。「九州―」

チェッコ（名）〔Czech〕〔地〕⇩チェコ。

削 **第八版**（2022・令4）。

削 **第八版**（2022・令4）。

削 **第六版**（2008・平20）。団体協約とは労働協約のこと。

削 **第八版**（2022・令4）。

削 **第五版**（2001・平13）。石狩や筑豊など、旧産炭地に多く見られた。

削 **第七版**（2014・平26）。当初は「詩や歌の題をくじ引きで定めたこと」の語義もあったが、第二版で消えてしまった。

削 **第七版**（2014・平26）。初版から「チェコ（スロバキア）」、第五版からは「チェコ」の項目内に記述され、第七版では〔古風〕。21世紀にも「チェッコ共和国」の使用例がある。

ちかみ【近み】（副）〔雅〕近いので。近いから。「冬━・秋━かも〔＝秋が近いからなのだなあ〕」

ちばしら【乳柱】（名）離乳食（リニュウショク）。

ちひょう【地評】（名）↑地区評議会。「東京━」

☆☆**ちほう**〔地方〕（名）

━く【地方区】（名）〔法〕もと、参議院議員の選挙で、都道府県をそれぞれ一つの選挙区とするもの。いま、「選挙区」と言う。（↕全国区）

ちほん【地本】（名）〔労働組合などの〕↑地方本部。「名古屋━」

ちゃくうた【着うた】（名）〔商標名〕携帯（ケイタイ）電話で着信したときに流れる楽曲。「━サービス」

削**第七版**（2014・平26）。

削**第七版**（2014・平26）。

削**第五版**（2001・平13）。労働組合用語。

削**第五版**（2001・平13）。1983年の参院選で名称が変わっても、一般にはしばらく言われ続けた。第四版で語釈に「もと」が入る。☞比例代表区（182ページ）

削**第五版**（2001・平13）。現在は「自衛隊地方協力本部」の略称として使われるが、国語辞典には載っていない。

削**第八版**（2022・令4）。2002年にauでサービス開始。「着メロ」と異なり音源をそのまま聞ける。音楽配信事業として急伸したが、スマホの普及で16年にサービス終了。

ち

ち

ちゃくメロ【着メロ】(名)〔↑着信メロディー。商標名〕携帯(ケイタイ)電話などに着信したときに出る〈音/音楽〉。

ちゃせん【茶(×筅)】(名) ●**―がみ**【茶(×筅)髪】(名)〔文〕髪(カミ)をみじかく切り、うしろでたばねて先をたらしたもの。〔多く おばあさんの風俗(フウゾク)〕

ちゅうしん【中震】(名)〔地〕家が はげしくゆれ、すわりの悪いものが たおれる程度の地震(ジシン)。歩いている人も感じる。震度(シンド)4。

ちょうし【聴視】(名・他サ)〔文〕〔テレビ・ラジオを〕見聞きすること。聴取と視聴。「―者・―率」

ちょうだい【頂(戴)】(名・他サ)

ちょうだいな 句 東京で、

削 **第八版**(2022・令4)。1997年にアステルがサービスを開始後、再生できる電子音の質で各社が競い合った。曲は配信で入手するほか手打ち入力も可能。着信相手ごとに鳴る曲を設定したりした。

削 **第六版**(2008・平20)。切り下げ髪(☞63ページ)の一種。

削 **第五版**(2001・平13)。☞強震(61ページ)

削 **第八版**(2022・令4)。もともとは「視聴」より一般的な語だったものの、1970年頃に逆転されたという。

削 **第五版**(2001・平13)。駄菓子屋などで挨拶のように聞かれた。類例の子どもなどが商店に行って物を買うときに言うことば。

ちょうりつ〔庁立〕（名）道立（ドウリツ）。

―ちょん（造語）〔←チョンガー〕〔俗〕家族を残して、ひとりで赴任（フニン）する男性。「札（サッ）〔＝札幌（サッポロ）〕―」

「下さいな」は第三版～第四版で「下さい」の注付き用例として採録。

「ちょうだいな」

削 **第五版**（2001・平13）。北海道庁立の意で、学校名などに冠する。地道な用例採集の面目躍如。

削 **第八版**（2022・令4）。転勤者の増加から生まれた語。挙例のほか「仙《せん》（＝仙台）ちょん」「阪《さか》ちょん」「名古《なご》ちょん」「博《はか》（＝博多）ちょん」もあった。チョンガー自体が死語。

つ

ちょん（名）
●ちょんになる 句 おわりになる。

ちり〔×塵〕（名）
●ちりの世 句 〔文〕俗世間（ゾクセケン）。

ちろうい〔地労委〕（名）〔↑地方労働委員会〕各地方にあって、中労委と同じようなはたらきをする機関。

つうしょう〔通商〕（名・自サ）
―さんぎょうだいじん〔通商産業大臣〕（名）〔法〕国務大臣のひとりで、通商産業省の長官。通産大臣。

つうてん〔通添〕（名）〔↑通信添削（テンサク）〕〔＝答案を添削して送り返すやり方〕。

つうばく〔痛爆〕（名・他サ）てひどい爆撃（をすること）。

削第七版（2014・平26）。明国改訂版～第二版は注付き用例として掲載。

削第八版（2022・令4）。漢語「塵界《じんかい》」の方は今も載る。

削第八版（2022・令4）。2005年、「地方労働委員会」は「都道府県労働委員会」に改称。

削第五版（2001・平13）。同版刊行年に通産省は経済産業省に再編。「通産」以下「通産相」「通産省」「通産大臣」も削除された。

削第七版（2014・平26）。1930年代の広告にも「歐文社の旗の下に通添第一主義をふりかざして」といった使用例がある。

削第二版（1974・昭49）。旧日本軍の戦果を報じる記事でよく用いられた。「佛印陸鷲昆明を痛爆」（『国民年鑑

つかい【使い】ツカヒ（名）

●**―きり カメラ**【使い切りカメラ】（名） あらかじめセットされたフィルムを使いおわると、カメラごと現像に出す簡便なカメラ。使い捨てカメラ。レンズ付きフィルム。

つぎは【継ぎ歯】（名） こまげたなどの歯がへったときに、にかわで つぎたす・こと（部分）。

つゆ【露】

●**露の命**（イノチ）句 はかない命。

つよ・む【強む】（他下二）〔文〕強める。「結束（ケッソク）―〔＝結束を強める〕」

昭和17年版』）

削**第七版**（2014・平26）。同版から立項された「使い切り」に注付き用例で収まったが、それも第八版で消滅。富士フイルム「写ルンです」は1990年代に大ヒットした。

削**第二版**（1974・昭49）。同版からは「つぎば」の語形で差し歯を説明するが、下駄の語義は消えた。新明解国語辞典では今なお下駄の語義も載せ、「つぎば」「つぎは」両方の語形があるとしている。

削**第六版**（2008・平20）。漢語形の「露命」と併せて非常に古くからある語。見出しに立っていない版も「露」の用例にはある。

削**第七版**（2014・平26）。文語形。

ディー【D】(名)〔学〕妊娠(ニンシン)。⇩:A。

ティーチング マシン（名）〔teaching machine〕生徒に、自動的に問題をしめして答えさせ、能率的に学習を指導する装置(ソウチ)。

ディーディーティー【DDT】(名)〔←dichloro-diphenyl-trichloro-ethane〕〔医〕虫を殺す強いく

削 **第五版**(2001・平13)。膨らんだお腹を横から見た様子という。Dの次はI(☞15ページ)。

削 **第七版**(2014・平26)。日本には1960年代にアメリカから導入され、学習研究社などが製造した。後年には「ティーチングマシンのような先生」とマイナス用法も。

ティーチングマシン

削 **第二版**(1974・昭49)。終戦直後、シラミ駆除のため粉末を振りかけられ真っ白になった子どもらの姿が見すり。もとは色もにおいもない固体。こん(昆)虫の神経をおかして殺す。

テープ(名)〔tape〕

●**ーデッキ**(名)〔tape deck〕アンプとスピーカーのないテープレコーダー。

でかちょう【デカ長】(名)〔俗〕巡査(ジュンサ)部長である刑事(ケイジ)。部長刑事。

てきほん(しゅぎ)【敵本(主義)】(名)〔敵本↑敵は本能寺にあり〕目的はほかにあるように見せかけ

られた。1971年から使用禁止。第六版で復活。

DDTの散布

削**第七版**(2014・平26)。カセットデッキとも。同版から「デッキ」の用例に。☞MD(34ページ)、磁気テープ(100ページ)

削**第八版**(2022・令4)。第六版までの表記は「でか長」。

削**第七版**(2014・平26)。第三版で立項した「敵は本能寺にあり句」は本項を参照する空項目だったが、て・急にほんとうの目的に向かう(だます)やり方。

てき マーク【適マーク】(名)⇩まるてき①。

てく(名)〔古風・俗〕歩くこと。「―で行く」〔動詞化して、てくる(自五)〕

テクシー(名)〔「タクシー」のもじり〕〔俗〕てくてく歩くこと。

テクニカラー(名)〔Technicolor＝商標名〕 天

第七版以降は句項目のほうだけが見出し語として残る。

削 **第六版**(2008・平20)。同版で「まるてき」の語釈は「〔ふつう「マル適」と書く〕①旅館・ホテル・劇場などの防火管理がじゅうぶんであることを示す記号」。２００３年「新適マーク」の導入で廃止、14年に復活。☞マル適(205ページ)

削 **第八版**(2022・令4)。用例は第六版から入った。動詞「てくる」は第六版まで独立項目だったのが、第七版で本項に合流。第八版では「テクる」の表記で再び独立。

削 **第七版**(2014・平26)。昭和の死語。「テク」は擬態語「てくてく」由来だが、見出し語は片仮名で外来語扱い。☞ダベリング(133ページ)

削 **第三版**(1982・昭57)。三原色のネガに白黒のネガを合わせてカラーを然色（テンネンショク）（映画）。

でずいらず［出ず入らず］（名）①出入りのないこと。②ふえたり へったりしないこと。③多すぎたり少なすぎたりしないこと。

でずき［出好き］（名） 外出が好きな〈こと／人〉。

デタント（名）〔フ détente〕 ⇩雪解け②。

てっぽう［鉄砲］（名） ●**—ぢち**［鉄砲乳］（名） 女性の、まっすぐ突（ツ）き出たように もり上がったちち。差しぢち。

合成した。1950年代までよく行われた。

削**第八版**（2022・令4）。明国の表記は「不出不入」。

削**第八版**（2022・令4）。アウトドア派の意。対義語は「出嫌い」だが、立項されたことはない。

削**第八版**（2022・令4）。「雪解け②」は「（国と国の間の）緊張緩和。デタント」で、1970年代の東西陣営協調に即していたが、この語釈も一般的な「対立の緩和」に修正された。

削**第八版**（2022・令4）。卑俗な文脈で、形状をほめて言う語。

でも―〔接頭〕〔俗〕①未熟な。「―学者〔=あれでも学者〕」②えせ。にせ。「―紳士〔シンシ〕〔=あれでも紳士〕」③〔多く「―しか」の形で〕ほかにする仕事がなくてなった。「―しか教師〔=教師にでもなろうか、教師にしかなれない、というところから〕」

デモ・る〔自五〕〔俗〕デモをする。可能 デモれる〔自下一〕。⇩:デモ。

デュープ〔名・他サ〕〔dupe〕フィルムの複製を作ること。また、複製されたフィルム。

デリカ〔形動ダ〕〔フ délicat〕デリケート。

テレカ〔名〕〔商標名〕←テレホン カード。

テレコ〔名〕←テープ レコーダー。

削**第七版**（2014・平26）。③の注記〔多く「―しか」の形で〕と用例「でもしか教師」は第六版で入り、第七版では「でもしか―」が立項された。「デモシカ教師」は1960年代の流行語。

削**第七版**（2014・平26）。同版から「デモ」に〔俗に、動詞化して、デモる〔自五〕〕と追記。

削**第八版**（2022・令4）。

削**第六版**（2008・平20）。デリカテッセンとは別語。

削**第八版**（2022・令4）。1990年代末から販売数が激減。語も使用頻度が落ちたとして削除されたが「テレホンカード」の項目内に残る。

削**第八版**（2022・令4）。デンスケ（☞147ページ）などの機材は戦後一般化した

テレコミュニケーション（名）〔telecommunication〕情報通信。「—機器」

テレコム（名）〔telecom←テレコミュニケーション〕（電信・電話・テレビ・ラジオなどによる）遠距離（キョリ）通信。

テレホン（名）〔telephone〕

●**—バンキング**（名）〔telephone banking〕自宅・職場などから、電話で銀行と直接取引できるサービス。

てん【天】

●**天に口無し、人をもって言わしむ** 句 〔文〕天は何も言わない。言いたいことは、人間の口を通して知らせる。

てん【天】

●**天の与（アタ）え** 句

が、１９９０年代以降は電子機器が主役に。☞磁気テープ（100ページ）

削 **第八版**（2022・令4）。

削 **第八版**（2022・令4）。「テレコミュニケーション」への空見出しとせず独立に語釈を与えている。新電電だった日本テレコムは１９８４年設立。☞電電（147ページ）

削 **第八版**（2022・令4）。１９９５年に城南信用金庫が取り扱いを開始。朝・夜にも利用できるのがウリ。のちにネットバンキングが整備され、サービス終了が近年相次ぐ。

削 **第八版**（2022・令4）。第三版〜第五版の見出しは「天に口無し句」。

削 **第八版**（2022・令4）。

て

〔文〕天があたえてくれたもの。「ありがたい、これぞ―だ」

テンガロー（名） ゆかの上にテントをはった小屋。テントとバンガローをいっしょにしたようなもの。

でんき①［電気］（名） **―つうしんしょお**⑥［電気通信省］―ショウ（名） 電報・電話などの電気通信事業・電波管理などの公共事業とその事務をあつかう中央官庁。昭和二十四年新設。電通省。

でんごん［伝言］（名・他サ） ●**―ダイヤル**［伝言ダイヤル］（名）〔商標名〕 電話を通じて伝言を録音し、特定の相手と情報をやりとりするシステム。「災害用―」

でんしん［電信］（名） ●**―がわせ**［電信為替］―ガハセ（名） 急ぎのとき、電信を利用して送る かわせ。電報がわせ。電かわ。

削**第三版**（1982・昭57）。二語の部分同士を混交させた造語。

削**初版**（1960・昭35）。逓信省の解体で戦後新設されたことから明国改訂版に採録。ところが刊行後たったの数か月で日本電信電話公社（のちのＮＴＴ）が立ち上がり、消滅。わずか1版での削除となった。

削**第八版**（2022・令4）。１９８６年にサービスが開始され、出先での連絡のほか、男女の出会いに利用されたりした。災害用伝言ダイヤルは98年に始まり現在もある。

削**第六版**（2008・平20）。明治期からあり、明国に「でんしんかわせ」で載ったが改訂版で削除。第二版から上掲の語釈で再び採録。２００7年、郵政民営化に伴い制度が終でんすけ【伝助】（名）〔俗〕㊀〔でん＝出ん〕大道で客にやらせる、当たらないようにしかけた、とばく（賭博）。でんすけとばく。㊁小形の録音機。

でんでん【電電】（名）↑電信電話会社。「第二━・英国の━」

削 **第二版**（1974・昭49）。㊁は初版にのみある語義で、左はその挿絵。1951年に東京通信工業（現ソニー）の発売した携帯録音機が、当時の新聞漫画『デンスケ』で主人公に愛用され、この愛称が付いた。

デンスケ

削 **第七版**（2014・平26）。電電公社が民営化した1980年代には、電気通信事業の自由化で「郵政省が〝自前電電〟構想」（毎日新聞）などユニークな表現も見られた。

了した。

て

てんぼお⓪【展望】ーボウ（名・他サ）

ー しゃ③【展望車】（名）列車の最後に連結して沿線の風景をゆったりと展望することができる客車。

とう トフ〈連語〉〈文〉と言う。「戦いは終われりー」

どうき【同期】 ●**同期の桜** 句 同期生。

とうぐう【東宮・▽春宮】（名）〈=皇太子の宮殿（キュウデン）〉 ●**ーだいぶ**【東宮大夫】（名） 東宮職〈=宮内庁（クナイチョウ）で皇太子に関する事務をあつかうところ〉の長。

どうぬき【胴抜き】（名）《服》①節約のために、和服の下着や長じゅばんの、胴の部分だけを別の布を使って仕立てること。また、そのように仕立てたもの。②夏の背広の仕立て方。うらを つけないもの。

とうほう【東方】（名） ●**ー（の）くんしこく**【東

削 **初版**（1960・昭35）。掲載時はパノラマカーではなく、テラスのような展望デッキを設けた車両であろう。

削 **第七版**（2014・平26）。明国では助詞の扱い。古語の「てふ」に相当。

削 **第八版**（2022・令4）。第二版「同期」の注付き用例が第三版で句見出しに。

削 **第八版**（2022・令4）。

削 **第八版**（2022・令4）。②の類語「背抜き」は第二版で立項され、現在も残る。

削 **第八版**（2022・令4）。前漢の書物

方(の)君子国」(名) 東のほうにある礼儀(レイギ)正しい国〔=日本の国〕。

どうほう つうしん【同報通信】(名) 一つの情報を(通信回線で)同時に複数のあて先に送ること。

とうもん【稲門】(名) 〔文〕早稲田(ワセダ)大学の別の呼び名。

とうゆ【〈桐油〉】(名) ㊀「あぶらぎり〔=きり〕に似た落葉樹(ラクヨウジュ)」の種からしぼった乾性油(カンセイユ)。きりあぶら。㊁〔↑とうゆ紙〕「とうゆ(桐油)㊀」を塗った和紙。「―ガッパ」

とおきゅうばん ⓪【闘球盤】トウー(名) まるい平たいたまを指ではじき、盤の中心の穴に入れる・遊戯(用具)。

トー ダンス(名)〔toe dance〕〔バレエで〕つま先で立っておどる おどり。トウ ダンス。トゥ ダンス。

『淮南子《えなんじ》』の一節から。

削 **第六版**(2008・平20)。同版で「同報」が立項され、「同報通信」はその用例に収まった。

削 **第二版**(1974・昭49)。☞三田(206ページ)

削 **第二版**(1974・昭49)。桐油ガッパは明治期にはだいぶ廃れていた。「黒い桐油を着て饅頭笠を被った郵便脚夫」(夏目漱石『満韓ところどころ』1910)

削 **初版**(1960・昭35)。寮などの娯楽室に碁・将棋・卓球などと並んで置かれるほど人気があったという。

削 **第七版**(2014・平26)。「トー」も同時に削除。

と

と

どかあめ【どか雨】(名)〔俗〕集中豪雨(ゴウウ)。

どかひん【どか貧】(名)〔俗〕急に びんぼうになること。(↔じり貧)

ときがらし【溶き辛子】(名) カラシの粉を といて ねったもの。かきがらし。マスタード。

どきゅうかん②【弩級艦】(名)〔軍〕大口径の砲を多数積んだ大きな軍艦。ドレッドノオト⑤。

どくさく(ぶん)⓪(③)【独作(文)】(名) ㊀与えられた日本文を、ドイツ文に翻訳すること。㊁ドイツ語で書く作文。

削**第七版**(2014・平26)。「集中豪雨」の項目内には残る。

削**第三版**(1982・昭57)。太平洋戦争開戦前に米内光政の言った「ヂリ貧を避けんとしてドカ貧にならない様に」(『木戸幸一日記 下巻』)が有名。

削**第五版**(2001・平13)。第二版で同時に立項された同義語「ねりがらし」に対する主見出しだった。第六版から「ねりがらし」のほうに集約された。

削**初版**(1960・昭35)。同版で廃項になった軍事用語は多く、「超弩級艦」も消えた。ただし「超弩級」は第二版で立項され、今も残る。

削**初版**(1960・昭35)。英作文を「英作」に略すのと同じ省略形が見える。1930年代には『医学生の独作練習』なる本もあった。類書にない

とくしん【特審】（名）↑法務省特別審査局（＝共産主義に対抗する機関）。

☆☆**とくてい**【特定】（名・他サ）

●**―きょく**【特定局】（名）（↑特定郵便局）集配をしない、小さな郵便局。（↕本局）

とくれい【特例】（名）

●**―し**【特例市】（名）《法》政令で指定された、人口が二十万人以上の都市。都道府県の権限の一部がうつされる。⇩：政令指定都市・中核(チュウカク)市。

とけい【時計】（名）

●**―もじ**【時計文字】（名）ローマ数字。

どこう【土侯】（名）

項目で、独自の用例採集が光る。

削 **第二版**（1974・昭49）。「法務省」とあるが実際はその前身の法務府の内局。１９５０年に設置、52年に公安調査庁設置に伴い廃止。

削 **第六版**（2008・平20）。郵政民営化の実施前、郵便局の大半はこれだったが、２００７年に民営化で制度が廃止された。

削 **第八版**（2022・令４）。函館市、沼津市などが２０００年から指定された。15年に廃止され、中核市制度に統合。

削 **第八版**（2022・令４）。ぼんぼん時計（☞199ページ）などに見られる時計用にデザインされたⅠ〜Ⅻ。

削 **第八版**（2022・令４）。親項目の「土

●—こく【土侯国】(名) インド・アラビア地方などで、部族の首長が支配した国家。

とちめんぼう(名)〔とちめ=トチの実のような大きな目〕〔古風〕あわてるようすに使うことば。「—を〈くらう/振(フ)る〉〔=あわてふためく〕」〔「栃麺(トチメン)棒〔=トチの実をまぜた手打ちそばをのばす棒〕」からともいう〕

とっかわ トッカハ(副)〔俗〕あわて急ぐようす。

とぼんと(副)〔俗〕(ひとりで)ぼんやりしているようす。

☆☆**ドライ**〔dry〕
●—ミルク(名)〔dry milk〕こなミルク。粉乳。ドライ。

トラッカー(名)〔和製 trucker〕〔俗〕トラックの運転手。「女性—」

トラバーユ(名・自サ)〔フ travail=労働・仕事〕転

侯」ごと削除。

削 **第八版**(2022・令4)。江戸時代からある語。第六版以前の表記は「栃麺棒」。

削 **第二版**(1974・昭49)。日本国語大辞典は「とつかわ」、大言海は「とツかはと」で、促音化するか微妙。

削 **第七版**(2014・平26)。明国改訂版〜三国初版は「とぼん」。

削 **第八版**(2022・令4)。今もある森永ドライミルクは1921年発売。

削 **第八版**(2022・令4)。

削 **第八版**(2022・令4)。1980年

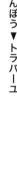

職。「他の業界へ―する」

とりなり【取り成り】(名)（人の）動作（ドウサ）と身なり。なりふり。態度。

ドルいれ【ドル入れ】(名) 小銭（コゼニ）を入れる、小形のさいふ。

ドルかい【ドル買い】―カヒ(名)〔経〕米国のドルで価格をあらわした貨幣（カヘイ）や有価証券などを買い入れること。ドルがい。(↔ドル売り)

トロ(名) ↑トロッコ。

トロツキズム(名)〔Trotskyism〕もと、ソ連のトロツキーがとなえた共産主義の理論。労働階級の直接暴力による世界革命をとなえた。

ドン キホーテ(名)〔Don Quixote=十七世紀のス

創刊の女性向け求人誌『とらばーゆ』から。

削 **第五版**(2001・平13)。表記は「風采」「風姿」「挙止」を当てることもあった。

削 **第七版**(2014・平26)。明治期からある語。1970年代までは「弗入れ」と表記した商品の例が見つかる。

削 **第七版**(2014・平26)。初版までは表記が「弗買い」。

削 **第八版**(2022・令4)。

削 **第八版**(2022・令4)。1920年代には例があるが、三国入りは半世紀後の第二版で、さらに半世紀して削除された。

削 **第七版**(2014・平26)。対義語「ハムレット」は第二版で立項され、ペインの小説の主人公〕空想的で むてっぽうで正義感が強い性格の人。「━型（↔ハムレット型）」

とんコレラ【豚コレラ】（名）〔農〕ブタの急性の感染症（カンセンショウ）。腸を おかされる。

とんでる【（×翔んでる）】（連語）〔俗〕伝統や世間の常識を気にしないで、自分がしたいとおりのことをして生きること。「━女（＝自在に活動している女性）」

どんわん【鈍腕】（名・形動ダ）〔文〕にぶくて、さえないうでまえ（である ようす）。（↔敏腕（ビンワン））

「あれこれと考えるばかりで行動的でない性格の人」。同じく削除された。☞ウルトラマン（29ページ）、ファミコン（183ページ）、弱き者よ、なんじの名は女なり（225ページ）

削 **第七版**（2014・平26）。「コレラ」部分の表記は、明国～改訂版が「虎列拉」、初版が「虎列剌」。

削 **第六版**（2008・平20）。『ことばのくずかご』で1976年の例が採集されているが立項は第四版。同版以降「飛ぶ」に「翔ぶ」の語義が載り、今も用例に「とんでる女」が残る。

削 **第八版**（2022・令4）。「敏腕」の項目内に対義語として残る。

なにぬねの

●名知らぬ 句

な［名］（名）〔文〕名前を知らない。「—花」

削第八版（2022・令4）。第七版で連語から句の扱いになった。

ナイキ（名）〔Nike〕〔軍〕ミサイル攻撃（コウゲキ）にそなえて地上から発射される、三段ロケット式のミサイル。

削第三版（1982・昭57）。1960年代から自衛隊に配備され、90年代までにペトリオットに更新され退役。70年代には「長沼ナイキ訴訟」で基地建設をめぐり話題となった。

ないものだか［（無い物）高］（名）《経》品物が〈少ない／ない〉ために、値段が高くなる状態。

削第八版（2022・令4）。

なおすけ［なお助］（名）〔「おんな」をひっくり返して人名のように見せかけたことば〕〔古風・俗〕おんな。ナオン〔俗〕。⇩∵すけ（助）。

削第八版（2022・令4）。「すけ②」の由来に残る。

なが・める［長める］（他下一）長くする。自動長まる↷（五）。

削第七版（2014・平26）。対義語「短める」は載らなかった。

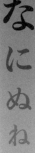

☆☆ **ながら**〔×乍ら〕

● **―ぞく**【ながら族】（名）〔俗〕テレビ・ラジオなどを見たり聞いたりしながら、ほかの仕事をする人たち。

初版（1960）刊行の前後に広まった語。第二版（1974）の「ながら」の項目で「ながら族（=ながら視聴をする ひとびと）」という注付き用例が加わった。このように、見出し語ほどではないが重要と見なされた語は用例で簡易な説明を施される。さらに第三版（1982）で見出し語に昇格。第六版（2008・平20）以降は注付き用例に戻ったが、第七版（2014）では年代情報も追記された。

戦後、「社用族」「団地族」「カミナリ族」「みゆき族」「アンノン族」「窓際族」「竹の子族」等々、無数

ながら族

な

の「族」が現れた。21世紀にも、新語・流行語大賞の2005年の候補「ヒルズ族」のほか、「ネオヒルズ族」「タワマン族」「ぼっち族」などがある。翻訳ではあるが中国では「寝そべり族」(躺平《タンピン》族＝競争や努力をしない若者)も出現した。しかし最近では「〇〇系」「〇〇民」「〇〇界隈《かいわい》」などに代替わりした感を抱く。

なかるべけんや【(無かる▽可けんや)】(連語)〔文〕なくてよかろうか、よいわけがない。「ここで一言―」

な・く【鳴く・×啼く】(自五)

●**鳴くまで待とう ほととぎす** 句 大物がゆったりとかまえているたとえ。〔徳川家康(トクガワ イエヤス)が、「鳴かぬなら」に続けたことばと言われる〕

な・す【(▽為す)】(他五)

●**なすある人** 句 りっぱな仕事をやる人。

削 **第八版**(2022・令4)。「べけんや」「ざるべけんや」は残留。

削 **第七版**(2014・平26)。心境の形容に言う。秀吉の「鳴かせてみよう」や信長の「殺してしまえ」はあまり使われないようである。

削 **第七版**(2014・平26)。第二版「為す」の注付き用例が第三版で句見出しに。「なすある」は「有為《ゆうい》」の訓読。

ナス〈名〉〈俗〉↑ボーナス。

なつおとこ［夏男］ーヲトコ〈名〉夏に活躍（カツヤク）する男。〈女性のばあいは、夏女〉

なつご［夏（×仔）］〈名〉夏にうまれた、動物の子。（↕冬ご）

など〈副〉〈雅〉なぜ。

ななけた［七（×桁）］〈名〉〈俗〉百万円（単位）。「ーの収入」

なまガス［生ガス］〈名〉燃料としてもやす前の状態の、ガス。「ーがもれる」

なまカメラ［生カメラ］〈名〉〈テレビ放送などで〉その場でじっさいに動かすカメラ。

なまぎゅうにゅう［生牛乳］〈名〉牛からしぼったま

削**第三版**（1982・昭57）。

削**第八版**（2022・令4）。使用頻度が低いとして削除された。

削**第八版**（2022・令4）。「夏蚕《なつご》」が入れ代わりに立項。☞冬仔（186ページ）

削**第八版**（2022・令4）。

削**第六版**（2008・平20）。第三版まで用例は「七桁農業〈＝百万円の収入がある農業〉」で、農家の目標とされた。「八桁農業」も聞かれる。

削**第七版**（2014・平26）。一種のレトロニム。入れ代わりに「生歌」「生寿司」「生中」「生肉」が立項。

削**第七版**（2014・平26）。中継で用いるカメラ。「ライブカメラ」に似ていると言えば似ている。

削**第六版**（2008・平20）。1960年

まの状態の牛乳。(↕粉乳)

なまフィルム【生フィルム】(名) 撮影する前のフィルム。

ナローバンド(名)〔narrowband〕《情》〔通信網(モウ)で〕速度が比較(ヒカク)的おそい回線。(↕ブロードバンド)

なんきん(名) ━【南▽京】●━

まち【南▽京街】(名)〔横浜などの〕中国人の住む区画〔=中華(チュウカ)街〕の俗称(ゾクショウ)。

なんせん【南鮮】(名)〔文〕朝鮮(チョウセン)半島の南の・部分(地方)。大韓民国(ダイカンミンコク)がある。(↕北鮮)

代、学校給食を粉乳から生牛乳にという運動が起こった。☞還元乳(52ページ)

削 **第八版**(2022・令4)。現代では「(限定グッズとしての)映画の現像されたフィルム」という全く別の用法がある。

削 **第八版**(2022・令4)。「ブロードバンド」の項に対義語として残る。

削 **第八版**(2022・令4)。神戸の中華街は現在も「南京町」と呼ぶ。

削 **第六版**(2008・平20)。「北鮮」(☞196ページ)も削除。いずれも現在は使用しない語。

なんてい【軟庭】(名) ↑軟式(ナンシキ)庭球。

なんにも【何にも】 **●何にもないけど** 句 とりたてて言うほど・上等の(めずらしい)ものはないけれども。「―おあがり」

なんぷう【南風】(名) **●南風競(キソ)わず** 句 南朝の勢いがふるわない。

ニーズ [NIES] (名) 〔↑ newly industrializing economies〕二十世紀末、発展途上(トジョウ)国のうち、急速に工業化が進み、高い経済成長を実現した国や地域。新興工業経済地域。例、韓国(カンコク)・シンガポール・台湾(タイワン)・香港(ホンコン)。

ニード (名) 〔need〕要求。求め。⇩:ニーズ(needs)。

にがん【二眼】(名) ふたつの・目(レンズ)。「―レフ〔=焦

削**第五版**(2001・平13)。1992年、競技名が「ソフトテニス」に変更。

削**第六版**(2008・平20)。慣用句なのかはきわどいが、よくある挨拶ことば。同版以降は項目「何にも」の用例に収まり、〔上等な料理はないという、けんそん〕と注付きに。

削**第七版**(2014・平26)。「労働運動と社会主義政党は〝南風競わず〟」など、単に勢いのないたとえにも。

削**第七版**(2014・平26)。1980年代にはNICS《ニックス》と呼ばれていたのが88年に改称。2000年代以降はめっきり聞かれなくなった。

削**第六版**(2008・平20)。

削**第二版**(1974・昭49)。1950年、理研光学工業(現リコー)「リコーフ

点を調節するレンズと、写真をうつすためのレンズとの両方をもっているカメラ」」

にぎり［握り］（名）

●ーぎんたま［握り金玉］（名）〔俗〕何もしないで手持ちぶさたでいること。

レックスⅢ」発売でブーム到来。

二眼レフ

削 **第八版**（2022・令4）。明国～改訂版の表記は「握睾丸」。第四版～第五版は「～きんたま」。金欠の意味もあった。戦前には「何の効能もなく只握り睾丸をして居る」「握り睾丸で金が儲かる」と不作為を揶揄するような例も。

握り金玉

に

にぎり〔握り〕(名)〔俗〕けちんぼう。 **●―や**〔握り屋〕(名)

にくジュバン〔肉：襦袢〕(名) はだに ぴたりとつけて着る、肉色のジュバン。

にくみ〔肉味〕(名)〔文〕肉の あじ。

にこよん〔二個四〕(名)〔俗〕〔もと、一日の日当が二百四十円であったことから〕(職業安定所から仕事をもらう)日雇(ヒヤト)い労務者。

にしドイツ〔西ドイツ〕(名)〔地〕⇩ドイツ。

にしゃせんいつ〔二者選一〕(名)〔哲〕ふたつのうちの どちらかひとつを えらぶこと。二者択一(タクイツ)。

にじゅう〔二十・×廿〕(名) **●―ごじ**〔二十五時〕(名) ①午前一時。深夜。「東京

削 **第八版**(2022・令4)。

削 **第二版**(1974・昭49)。鯉口シャツの商品名としても用いられている。

削 **第二版**(1974・昭49)。陶器の「肉つぽさ」を表す用法も採集されていたが載らなかった。

削 **第三版**(1982・昭57)。緊急失業対策法(1949)で就業した労働者を指した。「もと」とあるように日当が上がっても名称は残った。

削 **第七版**(2014・平26)。「西独」「東ドイツ」「東独」も削除。東西ドイツは1990年に統合された。

削 **第二版**(1974・昭49)。「選一」単体の項目も同時に削除。

削 **第六版**(2008・平20)。②の語義は第四版から入ったもの。ゲオルギュ

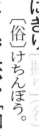

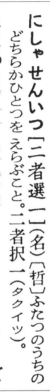

―」②（一日は二十四時間しかないので）永久にありえない理想的時間。「市長選―〈＝市長選の一日〉」

にじゅう⓪［二重］（名）　**―せいかつ**④【二重生活】（名）㊀和洋両式を併用した生活。㊁全くちがう、二とおりの生活のしかた。

にっけいれん【日経連】（名）↑〈もとの〉日本経営者団体連盟。⇩：日本（ニッポン）経団連。

ニヒ・る（自五）〈俗〉ニヒルな態度に出る。

にほん［日本］（名）　●**―じゅうけつきゅうちゅう**【日本住血吸虫】（名）〈医・動〉住血吸虫の一種。日本で発見され、かつて特定の地域に生息していた。〈フィリピン・中国などでは、現在でも生息している〉

にほん［日本］（名）　●**―も（ん）じ**【日本文字】（名）

の同名作から生じた転義か。

削 **初版**（1960・昭35）。㊀の、和服・洋服を使い分ける生活はコストや手間が当時庶民の負担となった。和洋折衷の「文化住宅」は1920年代から見られる。

削 **第七版**（2014・平26）。戦後設立され、2002年に経団連と統合。

削 **第六版**（2008・平20）。

削 **第七版**（2014・平26）。日本住血吸虫症は1996年に山梨県で終息宣言が出され、国内では撲滅された。「住血吸虫」の用例に残る。

削 **第七版**（2014・平26）。「日本字」とも。

かなと漢字をまとめて呼ぶ言い方。

にゅう［入］（名）〔電気器具で〕スイッチが はいる、という意味の記号。（↕切）

にゅうこう［乳香］（名） ニュウコウ（＝アラビア南部などに はえる大木）に、乳首（チクビ）の形につく、やにのようなもの。焼くと いいにおいが する。

ニュートラ（名）〔↑和製 new traditional〕《服》伝統的な形のスーツやブレザーなどに、海外ブランドのくつ・バッグなどを組み合わせたスタイル。「―ルック」

ニュートラ

削 **第八版**（2022・令4）。同版「入れる」の項目で「表記スイッチのボタンには、記号的に「入」とも」と注記が入った。

削 **第五版**（2001・平13）。キリストに東方の三賢人が与えた「黄金・乳香・没薬《もつやく》」から乳香が脱落。

削 **第八版**（2022・令4）。1970年代に神戸で発祥。やや遅れて横浜発の「ハマトラ」も流行。

に

ニューメディア（名）〔new media〕〔新聞・ラジオなどに対して〕電子工学や通信技術の進歩による新しい情報伝達手段。特に、一九八〇年代に始まった衛星放送・都市型ケーブルテレビなど。「―時代」

にょこうば【女紅場】（名）〔女紅＝女の手仕事〕〔京都にあって〕まいこ（舞妓）や げいぎ（芸妓）が芸事（ゲイゴト）を習う場所。

にょごがしま【女護が島】（名） 女だけが いるという、想像上の島。にょごのしま。

にん【人】

人に合う 句 〔かぶき（歌舞伎）などで〕役柄（ヤクガラ）がその役者のからだつき、からだの動きに合う。にんにある。（↕人でない・人にない）

削 **第七版**（2014・平26）。末尾の例示は第四版で「衛星放送・電子郵便など」、第五版で「衛星放送・文字多重放送・電子郵便など」。１９７0年代からの語だが、90年代は「マルチメディア」（第五版立項）の時代になった。

削 **第三版**（1982・昭57）。もともとは明治初期の女子教育機関の名称。語釈は祇園の八坂女紅場学園を念頭に置いている。

削 **第八版**（2022・令4）。室町期以降、井原西鶴『好色一代男』、滝沢馬琴『椿説弓張月《ちんせつゆみはりづき》』などの物語に登場。

削 **第五版**（2001・平13）。「にん」は「仁」の表記も多い。お笑い業界でも言う用語。

に

にんげん【人間】（名）

ーぶんかざい【人間文化財】（名）すぐれた芸能を受けつぐ名人。正式には、重要無形文化財保持者（ホジシャ）。

にんさんばけしち【人三化け七】（名）〔＝人間が三割で化け物が七割〕〔古風・俗〕人間らしいところがほとんどない、みにくい人。

ヌイユ（名）〔フ nouilles〕〔料〕たまごのはいった、細いうどんのようなめん類。ヌイ。

ぬかばたらき【（×糠）働き】（名）むだなはたらき。

ぬからぬかお【抜からぬ顔】ーカホ（連語）ぬけめのない顔つき。

ぬら（名）〔俗〕カレイ・ナメコなどの、ぬらぬらした成分。ぬめり。

削**第五版**（2001・平13）。「人間国宝」の方が定着した。

削**第八版**（2022・令4）。時代物で見られる表現。

削**第六版**（2008・平20）。

削**第八版**（2022・令4）。「糠」は他の語に付いて「はかない」「頼りない」の意になる。

削**第七版**（2014・平26）。「何食わぬ顔」の意味もある。

削**第七版**（2014・平26）。第二版でともに立項された類義語「ぬる」は第八版にも残る。

ねあか【（根明）】（名・形動ダ）〔「ネアカ」とも書く〕〔俗〕生まれつき、性格が明るい・こと（人）。（↔ねくら）

ねつが差す【熱】（名）句 熱が出る。発熱する。

ネッキング（名・自サ）〔米 necking〕首から上にする愛のふれあい。例、顔・耳・のどへのキス。（↔ペッティング）

ねつぞうこ【熱蔵庫】（名） 七十度前後の高い温度で食べ物を保存する、冷蔵庫に似た形のもの。温蔵庫。

ねつ(っ)こ・い（形）〔俗〕熱がはいってしぶとくねばるようすだ。「―演出」派生 ねつ(っ)こさ。

ねぼれ【値〈惚れ】（名・自サ）〔経〕ねだんの安さに引き「つけられること。「―の買い物」

削第七版（2014・平26）。タモリが流行に火をつけ、１９８２年頃からよく言われた。第八版でも残る「根暗」の項目内で対義語として余喘を保つ。

削第五版（2001・平13）。

削第七版（2014・平26）。かつては「ペッティング」とセットで言われたようだが、既に死語か。

削第三版（1982・昭57）。１９６３年の東京ガス「ガス熱蔵庫」発売を受けて採録してみたものか。

削第八版（2022・令4）。同版で項目「ねちっこい」に別語形として記載。

削第二版（1974・昭49）。今も投資家が使う。「値段買い」よりも趣の感

の

のうかい【農会】（名） 農事の改良・発達をはかる公共団体。農業会。

のうりん〔農林〕（名） **―すいさんだいじん**【農林水産大臣】（名）〔法〕各省大臣の一つ。農林水産省の長官。農水大臣。農水相。

ノースモーキング（名）〔no smoking＝タバコをすうな〕禁煙（キンエン）。

ノック（名・他サ）〔knock〕 **―ダウン ほうしき**【―方式】（名） 現地で部品を組み立てて完成品を作るやり方。

のろ【〈▽鈍〉】（名）〔俗〕のろいこと。のろま。

のんとお ⓪ ―トウ（名） ↑のんきなとうさん。〔＝そういう

じられる言い方。

削 **第三版**（1982・昭57）。農業会は農協の前身のひとつ。

削 **第五版**（2001・平13）。同版で各省大臣は一斉に削除。「農水相」は現在まで残る。

削 **第七版**（2014・平26）。同版では「ノーネクタイ」を立項。

削 **第五版**（2001・平13）。第二版で「ノックダウン」の注付き用例として入り、次版で子見出しに昇格。第五版以降は「ノックダウン」項目内に出戻って説明される。

削 **第七版**（2014・平26）。遅い人を「オノロさん」と言ったりした。

削 **初版**（1960・昭35）。麻生豊の漫画『ノンキナトウサン』は１９２３年か

題の漫画の主人公】

ら報知新聞（のちに読売新聞）に連載された人気作。20年代に農林大臣を務めた政治家・町田忠治（☞挿絵）は同新聞の社長でもあり「ノントウ」の愛称で呼ばれた。

ノントウ

明国▼三国 1 改 1 2 3 4 5 6 7 8

はひふへほ

ハイブリッド (名)〔hybrid〕 **●―アイシー** (名)〔hybrid IC〕 混成集積回路。集積回路に、抵抗(テイコウ)・コンデンサーなどを組み合わせたもの。

はかり [計り・量り](名) **―きり** [計り切り](名) ㊀ますで はかっただけで ほかに そえないこと。㊁定まった額以外に そえないこと。

はくあ ① [白〈堊〉](名) **―かん** ③ [白〈堊館〉](名) ワシントン市にある、アメリカ合衆国大統領の官舎。ホワイト ハウス。

はくーい ①② [白衣](名) **―のーゆうし** ① [白衣の勇士](名) 傷病兵。

削 **第七版**(2014・平26)。小型化・低価格化の競争に負けて主流の方式ではなくなった。

削 **第二版**(1974・昭49)。おまけなしの意。量り売りが一般的だった頃の語だが、近年の「バルクショップ」再流行で復権なるか。

削 **初版**(1960・昭35)。明国〜改訂版の「ホワイトハウス」は本項を参照させていた。

削 **明国改訂版**(1952・昭27)。日中戦争の起こった1930年代から太平洋戦争終戦まで、プロパガンダ記事によく登場した語。

はじかきっこ〔恥かきっ子〕ハヂカキー（名）〔俗〕親が年をとってから生まれた子ども。

削 **第八版**（2022・令4）。高齢出産を揶揄する風潮のあった時期の語。

バス①［bus］（名）

ーガアル③［bus girl］（名）「バス㊁」の女車掌。

第一次大戦の好景気、関東大震災の復興という時流に合わせて、大正期には女性の社会進出が進んだ。事務員、タイピスト、交換手などが典型的な職種だった。こうした「職業婦人」の中でも「バスガール」と呼ばれた女性車掌は1920年に、「青バス」と親しまれた東京市街自動車（のちの東京乗合自動車）に初登場した。同様に、旅客船の女性添乗員は「マリンガール」と言われ、旅客機には「エアガール」（☞エアボオイ（30ページ））がいた。

女性が各種の職場に現れるのに合わせて、ことばの面でも「〇〇ガール」が簇出《そうしゅつ》した。戦前の万国

バスガール

新語大辞典(1935)には大量の例が掲出され、「ガソリンガール」「スタンドガール」「タクシーガール」「マネキンガール」「レビューガール」などの「ガール」を数えると160語に及ぶ。が、中には「サンマーガール」(=夏の挑発的な薄着の女)など単に下世話な呼び名も多い。

57年には、コロムビア・ローズの唄う「東京のバスガール」がヒットした。しかし、三国は初版(1960・昭35)で項目を削除している。ちょうどその頃から路線バスはワンマン化が進み、バスガールたちも姿を消していった。

はずみ【《弾み》】(名)

―ぐるま【《弾み車》】(名) 機械の回転軸に取りつけて回転を一定にするための、大きい車輪。

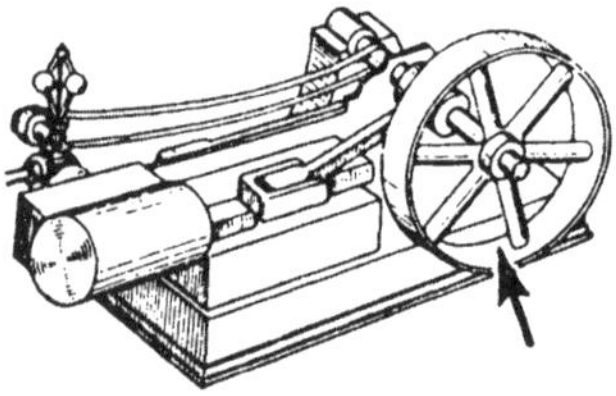

[はずみぐるま]

削 **第二版**(1974・昭49)。現在も工業製品に使用されるが、「フライホイール」と呼ぶ方が普通。

☆☆パソコン（名）〔←パーソナル コンピューター〕

●―つうしん【パソコン通信】（名）パソコンどうしを通信回線で結んで情報を交換（コウカン）するシステム。〔インターネットの普及（フキュウ）にともない衰退（スイタイ）した〕

パッショネート（形動ダ）〔passionate〕熱情的。情熱的。

はつすがた【初姿】（名）〔女性について〕新年の、着かざった姿。

ばっぱい【罰杯】（名）罰（バツ）として飲ませる酒。

ハッピー（形動ダ）〔happy〕

●―マンデー（名）〔和製 happy Monday〕祝日を月曜日に移し、土日と続けて三連休としたもの。成人の日・体育の日・海の日・敬老の日が相当する。

削 **第八版**（2022・令4）。同版で「パソコン」の注付き用例に入った。末尾の補注は第七版でようやく付されたもの。

削 **第八版**（2022・令4）。

削 **第八版**（2022・令4）。「（ある状態で）初めて見せる姿」の用法もあるが、採録されずに削除。

削 **第八版**（2022・令4）。当然まじめな刑罰ではなく、宴会の余興で敗者に飲ませるもの。

削 **第八版**（2022・令4）。3連休による余暇活動の充実のため、2000年に成人の日・体育の日から実施された。03年に範囲が拡大。☞老人の日（233ジペー）

は

はでこん【（：派手）婚】（名）〔俗〕費用をかけた、はでな結婚式・披露宴（ヒロウエン）。（↔じみ婚）

パトローネ（名）〔ド Patrone〕〔写真で〕生フィルムをつめる、金属のまるい筒（ツツ）。三五ミリ用。一回で使いすてにする。⇩：マガジン②。

ハバハバ（感）〔米 hubba-hubba〕〔俗〕いそいで（来い）。

ハモニカ（名）〔harmonica〕《音》〔古風〕ハーモニカ。

削 **第八版**（2022・令4）。1980年代のバブル文化。☞地味婚（104ページ）

削 **第八版**（2022・令4）。これで保護することで感光が防がれ、どこでもフィルムを出し入れできる。

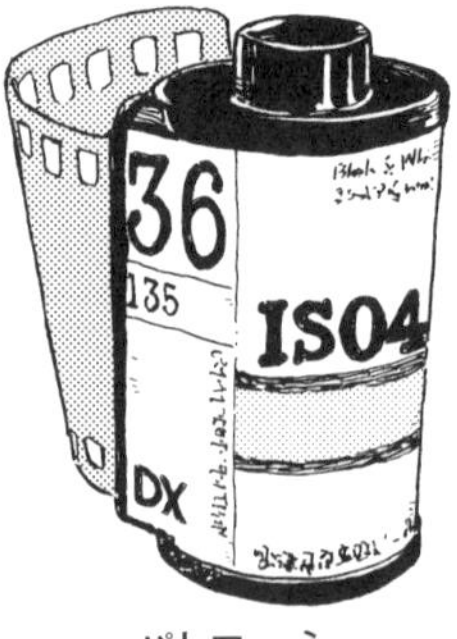

パトローネ

削 **第二版**（1974・昭49）。進駐軍から流行った語。語源不詳で、ハワイ語、パプア語、中国語、アラビア語、ドイツ語とも言われる。

削 **第八版**（2022・令4）。「ハーモニカ」の項目内に〔古風〕として残る。

はら〔腹〕 **●腹に（子が）入（ハイ）る** 句 妊娠（ニンシン）する。子を宿す。

バリコン（名）〔↑バリアブル コンデンサー（variable condenser）〕等しい間隔（カンカク）でならべた半円形の金属の板の重なり方でラジオの波長を合わせる器械。可変蓄電器。

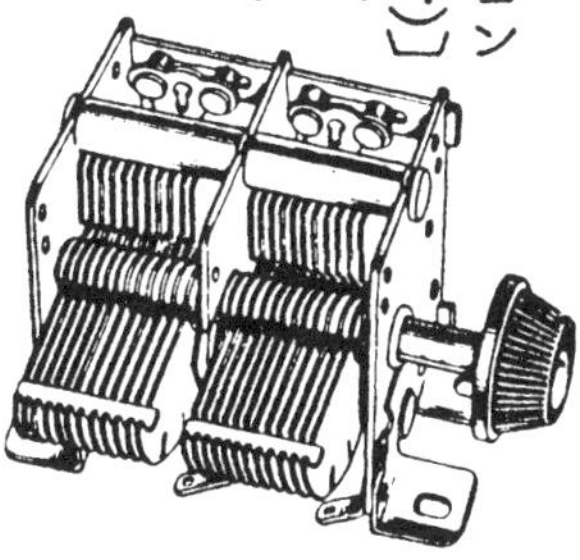

［バリコン］

パングリッシュ（名）〔和製英語〕〔俗〕パンパンの使う、片言（カタコト）の英語。

はんげん〔半〈舷〕（名）軍艦の乗組員を右がわと左がわとに分けていうことば。「━上陸」

パンパン（名）〔俗〕通りに立って客をひろう売春婦。やみの女。パンすけ。「━ガール」

削 **第八版**（2022・令4）。

削 **第二版**（1974・昭49）。初版で上掲の立派な挿絵が載り語釈も充実した。が、あっさり削除されてしまった。

削 **第二版**（1974・昭49）。日英混交のピジン・イングリッシュの一種。

削 **第二版**（1974・昭49）。「半舷上陸」は、会社で社員の半分ずつを休ませる意にも。

削 **第三版**（1982・昭57）。米兵を相手にした街娼を言った。「ハバハバ」（☞174ページ）同様に語源不詳。

ビーエフ【ＢＦ】(名)〔学〕⇩ボーイ フレンド。

ビージー【ＢＧ】(名)〔和製英語 ←business girl〕若い職業婦人。オーエル。

ビージーブイ【ＢＧＶ】(名)〔←background video〕風にそよぐ木や水の流れなど、自然をそのまま背景として映し出すビデオ。環境(カンキョウ)映像。バックグラウンド ビデオ。

ピータイル【Ｐタイル】(名)↑プラスチック タイル。「台所の―」

ビービーエス【ＢＢＳ】(名)〔↑bulletin board

削**第五版**(2001・平13)。日本俗語大辞典によれば１９５０年代からある。対義語「ＧＦ」は立項されなかった。

削**第三版**(1982・昭57)。１９４０年代に広まったが、英語では売春婦を意味するとの指摘があり、60年代に「ＯＬ」への言い換えが進んだ。

削**第七版**(2014・平26)。１９８０年代以降、店頭や待合室に流す環境映像を言った。バックグラウンド・ビジュアル(ＢＧＶ)、インテリア・ビデオ(ＩＶ)とも。最近は動画サイトに「作業用動画」が大量にある。

削**第八版**(2022・令4)。１９５０年代に登場した「プラスタイルＰ」の商品名が広まったもの。

削**第八版**(2022・令4)。２０００年前後のインターネットは誰でも書き

system=掲示(ケイジ)板システム〕⇩掲示板②。

ピーメール【Pメール】(名)〔←PHS mail〕PHSを利用した文字通信。

ひがし【東】(名)

●**―ドイツ**【東ドイツ】(名)〔地〕⇩ドイツ。

びカタル【鼻カタル】(名)〔医〕鼻炎(ビエン)の、もとの呼び名。

込める掲示板ページがどのホームページにもあって、交流の場だった。

BBS

削**第六版**(2008・平20)。1996年に開始されたサービス。送信できる文字数の制限が厳しかった。

削**第七版**(2014・平26)。☞西ドイツ(162ページ)

削**第七版**(2014・平26)。明国～三国初版の表記は「鼻加答児」。

ピケット（名）〔picket〕ストライキの妨害者を見張る・人（ところ）。ピケ。「―ライン・―を張る」

ひこざ〔×彦左〕（名）〔↑彦左衛門（ヒコザエモン）〕〔徳川家康（イエヤス）・秀忠（ヒデタダ）・家光（イエミツ）につかえた大久保（オオクボ）彦左衛門が、将軍家の意見係として行動したことから〕ずばずば意見を言う役目の人。「すもう界の―」

ヒコポンデリー（名）「ヒポコンデリー」のあやまり。

びじょう〔×媚情〕（名）〔文〕こびる表情。あいぶ（愛撫）をもとめる感情。「―を示す」

びしん〔微震〕（名）〔地〕じっとしている人や、特別に敏感（ビンカン）な人だけに感じられる程度の地震（ジシン）。震度1に当たる。

→**ひつじ**〔羊〕（名）

●**羊の歩み** 句 ①（殺されに

削**第二版**（1974・昭49）。同版で短縮形「ピケ」に説明が移った。

削**第七版**（2014・平26）。大辞典（1934〜1936）には「頑固親爺・直情徑行の老人」とある。第三版で立項されたのは、大久保彦左衛門を扱った時代劇『彦左と一心太助』（1969〜1970・TBS）の影響か。

削**第六版**（2008・平20）。第三版以来「ヒポコンデリー」の項目にも〔誤って、ヒコポンデリー〕といった補注があったが、これも第八版で消えた。

削**第八版**（2022・令4）。

削**第五版**（2001・平13）。☞強震（61ページ）

削**第八版**（2022・令4）。源氏物語な

行くヒツジのように)力のない歩き方。②死期が近づいていることのたとえ。

ピッチ〔名〕〔俗〕↑ピー エイチ エス。

ひっぱい［必敗］〔名〕〔文〕戦争・試合などに、かならず負けること。(↔必勝)

ひつもんひっとう［筆問筆答］〔名・自サ〕問題を・書い(印刷し)てわたし、こたえを書かせること。

ビデ カセ〔名〕↑ビデオ カセット。

ひと［人］〔名〕

●**人無し** 句 適当な人・(すぐれた人)がいない。人材がない。

どにも見られるが、仏典経由で表現が動物に先行して伝来した。羊の本格的な飼育は明治期以降。

削 **第八版**(2022・令4)。PHSのサービスは2020年頃から終了に向かっている。

削 **第五版**(2001・平13)。第六版以降「必勝」項目内に対義語として姿を残す。「必敗必至」なる重言もしくは強調形が用いられることがある。

削 **第七版**(2014・平26)。筆記試験のこと。「筆答」は第八版にも残る。

削 **第四版**(1992・平4)。映像録画・再生用の磁気テープ(☞100ジペー)。☞ラテカセ(227ジペー)

削 **第七版**(2014・平26)。昔から「人ある中に(も)人なし」などと言われる。

ひ

ひとくいじんしゅ【人食い人種】ヒトクヒー（名）食（ショク）人種。

削 **第六版**（2008・平20）。明国（表記は「人喰人種」）から空見出しとしてずっと続いた。

ひとよ【一夜】（名）

―さ【一夜さ】（名）〔文〕ひとよ。

削 **第五版**（2001・平13）。「夜さ」の用例として今も残る。

ビニぼん【ビニ本】（名）〔俗〕（立ち読み防止のため）ビニル袋に入れて売られているポルノ・写真集（雑誌）。

削 **第六版**（2008・平20）。マジックミラーの付いた自販機で売られるものも指した。

ビブリオマニヤ⑤【bibliomania】（名）熱心のあまり狂人のように書物を集める人。書狂。

削 **初版**（1960・昭35）。第四版で語形を「～マニア」として復活し、語釈は第六版から「ひたすら本を買いあさり…」と穏当になった。

ひもタイ【（×紐）タイ】（名）ネクタイの代わりに首に巻いて下げる、ひもの形をした織物。

削 **第七版**（2014・平26）。同版から「ループタイ」に同義語として記載。リボンタイを指すこともある。

ひゃっか【百花】（名）●**―せいほう**【百花斉放】（名）（＝たくさんの花がいっせいにさくこと）〔文〕（中国で）芸術上の様式・流派の活動を自由におこなうこ

削 **第八版**（2022・令4）。同版から「百家争鳴」の注釈で説明される。

と。⇩：百家争鳴。

ヒヤヒヤ（感）〔Hear, hear〕〔昔の演説会などで〕①謹聴（キンチョウ）！②賛成！

ビューティー（名）〔beauty〕

●**―パーラー**（名）〔米 beauty parlor〕美容院。ビューティーサロン。ビューティーショップ。

ひょうとう【氷島】（名）《地》北極海をただよう、でこぼこした厚い板のように広がるこおり。

ひょうばん【氷盤】（名）《地》板のように広がった、大きなこおりのかたまり。

ピリンけい【―系】（名）〔pyrin〕〔医〕アミノピリンやスルピリン（＝アミノピリンの注射薬）などの系統の薬。アレルギー体質の人ははっしん（発疹）（＝ピリンしん（疹））を起こしやすい。（↔非ピリン系）

削 **第七版**（2014・平26）。明治初期からあり、日本俗語大辞典によれば留学帰りの小野梓らが言い始めた。国会では1965年にも発言あり。

削 **第七版**（2014・平26）。入れ代わりに「ビューティーサロン」が立項され、その同義語として記される。

削 **第八版**（2022・令4）。氷山の一種で、面積は千平方メートルから大きなもので数百平方キロ。

削 **第八版**（2022・令4）。流氷の、直径20メートル以上のもの。アイスバーンやスケートリンクを指す用例も。

削 **第五版**（2001・平13）。アスピリンとは無関係で、第二版～第三版はその旨注記されていた。アミノピリンは1977年に医薬品への配合が禁止された。

ふ

ビルびょう【ビル病】(名)〔俗〕ビルにつとめる ひとびとに起こりやすい、だるさ・頭痛・不眠(フミン)・いらいらなどの症状(ショウジョウ)。

☆☆**ひれい**【比例】(名・自サ) **―だいひょうく**【比例代表区】(名)〔法〕参議院議員の 選挙で、「全国区」の 新しい 呼び名。

ピレトリン(名)〔ド Pyrethrin〕〔農〕ジョチュウギクの花からとる、強い殺虫剤(ザイ)。

ファナチック(形動ダ)〔fanatic〕きちがいのように**興奮**(コウフン)するようす。狂信的。

ファミコン(名)〔↑和製英語 Family Computer=商品名〕〔初期の〕家庭用テレビゲーム機。

削**第六版**(2008・平20)。古くは1930年代に東京・丸の内での症例が報告されるなど息の長い語。原因とされたのは館内・屋外の温度差や、館内の空気汚染など様々。

削**第五版**(2001・平13)。1983年の参院選で初めて導入。衆院選では96年から。☞地方区(135ページ)

削**第七版**(2014・平26)。蚊取り線香に使われる殺虫成分。

削**第二版**(1974・昭49)。語釈の「興奮するようす」は、言い換えの「狂信的」とは意味が異なるのではないか。第五版で「ファナティック」とモダンな語形に改め復活。

１９８３年に任天堂から発売された「ファミリーコンピュータ」。国内の累計出荷数は１９００万台以上という大ヒット商品。86年には新語・流行語大賞の新語部門で銅賞を獲得した。三国では第四版(1992)で立項されている。ゲーム全般の代名詞になったこともあり今なお「ファミコンショップ」の冠で営まれるゲーム専門店は少なくない。「ファミコン世代」というくくりも生まれるなど、ことばの面でも影響を残した。２００３年に生産が終了し、項目は第六版(2008・平20)で削除された。

三国のような小型国語辞典は項目数の制約もあって、固有名詞、特に商標や商品名(☞109ページ)には消極的だ。それでも「サラン」(☞94ページ)、「ドンキホーテ」(☞153ページ)、「ゆるキャラ」(第七版で立項)など採録されるものは多い。何であれ、その知識なしに言語生活が困難なほど社会に深く浸透した語ならば、説明しないことには辞書は使命を果たせなくなってしまうからである。

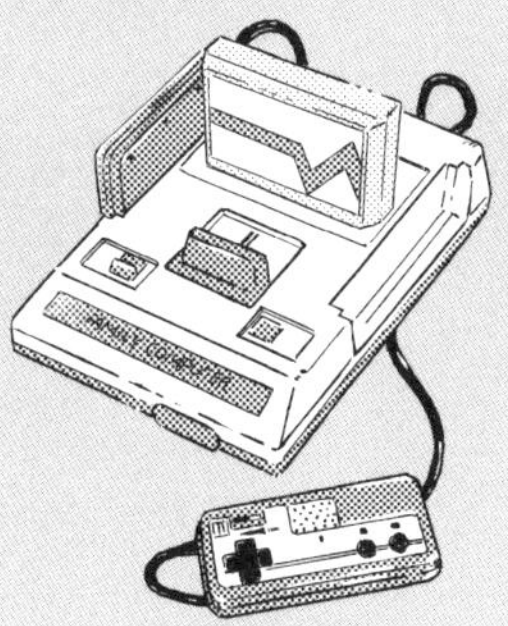

ファミコン

フィラテリスト（名）〔philatelist〕切手収集家。郵趣（ユウシュ）家。

ふうふ［夫婦］（名）●**―ようし**［夫婦養子］（名）夫婦そろって養子であること。また、そのような関係になること。両養子。

ブーメラン（名）〔boomerang〕●**―げんしょう**［ブーメラン現象］（名）〈経〉先進国による発展途上（トジョウ）国への援助（エンジョ）や投資が、のちに先進国への輸出となってはね返ること。ブーメラン効果。

フェドカップ（名）〔Fed〖↑ federation＝連盟〗Cup〕女子テニスの国別対抗（タイコウ）戦。フェド杯（ハイ）。（↔デビス カップ）

削 **第八版**（2022・令4）。切手収集は歴史のある趣味だが、最盛期は1960年代頃という。

削 **第七版**（2014・平26）。「両養子」の項目は残されていて、語釈は「夫婦養子」とあるのみ。

削 **第七版**（2014・平26）。1970年代以降、かつて援助した東南アジアの安価な製品により国内繊維産業が大打撃を被り、「ブーメラン効果」「ブーメラン現象」と問題になった。同版からはより一般化した語義で「ブーメラン②」が置かれた。

削 **第八版**（2022・令4）。2020年、ビリー・ジーン・キング・カップに改称。「デビスカップ」も同版で削除。

フォノシート（名）〔phonosheet〕ビニールで作った、うすいレコード。〔「ソノシート」は、商品名〕

ふくぎれ【福切れ】（名）正月に、いろいろの布地をふくろに入れ、安く売るもの。

ふけい②【父兄】（名）

―かい②【父兄会】（名）P.T.A.の旧称。

ふさ・う【(:相応う)】フサフ（自五）〔文〕つりあう。「身に〈ふさわない／ふさわぬ〉地位」

ふさ・げる【〈塞げる〉】（他下一）ふさぐようにする。「あなを―・道を―」

ふぜんかん【不善感】（名）〔医〕種痘（シュトウ）などのあとが つかないで、ききめが あらわれないこと。（↔善感）

削 **第三版**（1982・昭57）。同版に残された「ソノシート」（☞128ページ）は本項に依拠した説明だが、既に削除されていた。

削 **第八版**（2022・令4）。呉服店や百貨店で行われたセール品。

削 **初版**（1960・昭35）。戦後、GHQの指導によりPTAに改編されていった。☞父母の会（186ページ）

削 **第八版**（2022・令4）。「それにふさう見返り」「茶室の気品にめげず団欒のお茶受にふさい」のような肯定形も採集されていた。

削 **第五版**（2001・平13）。

削 **第五版**（2001・平13）。☞善感（125ページ）

ふ

ぶそう〔武装〕（名・自サ） ●**－へいわ**〔武装平和〕（名） 国家どうしが戦備を整えることによって保たれる平和。

ふっこく〔▽仏国〕（名）〔文〕フランス。ふつこく。

ふぼ（の）かい〔父母（の）会〕（名） 学校に行っている子ども・生徒の父母の会。〔もと父兄会・保護者会〕

ふみがら〔《文〈殻〕（名）読みおわっていらなくなった手紙。

ふゆご〔冬〈×仔〕（名） 冬にうまれた、動物の子。（↕夏ご）

ぶらきん〔ぶら勤〕（名）〔俗〕仕事もせずにぶらぶらしていて給料をもらうことができるつとめ。

フラク（名）↑フラクション。「－活動〔＝政党が労働組合などの内部につくった組織の活動〕」

プラスチック（名）〔plastics〕 ●**－マネー**

削 **第七版**（2014・平26）。明国は「武装の平和」で立項。対義語は「非武装平和」。

削 **第六版**（2008・平20）。

削 **第五版**（2001・平13）。現在では「保護者会」が一般的に。☞父兄会（185ページ）

削 **第二版**（1974・昭49）。不用物を指す語にも風情がある。

削 **第八版**（2022・令4）。☞夏仔（158ページ）

削 **第六版**（2008・平20）。単なるサボりのみならず、人員過剰で仕事がない状態や、干されている状態も指す。

削 **第七版**（2014・平26）。フラクションは分派のこと。

削 **第八版**（2022・令4）。1980年

（名）〔和製 plastic money〕〔俗〕クレジット カード。

プラズマ（名）〔plasma〕 ●**―ディスプレイ**（名）〔plasma display〕⇩ピーディーピー（ＰＤＰ）。

フラッシュ（名）〔flash〕 ●**―ガン**（名）〔flash gun〕〔写真で〕せんこう（閃光）電球をさしこんで光らせる道具。

フラッパー（名）〔米 flapper〕〔女性について〕態度につつしみがない〈ようす／人〉。おてんば。

フラフラダンス（名）〔hula-hula dance〕ハワイの女の、腰（コシ）をふるダンス。フラ ダンス。

代から90年代にかけて言った。

削**第八版**（2022・令4）。２０１０年代に生産終了。参照先の「ＰＤＰ」も削除。

削**第七版**（2014・平26）。第三版までの親見出しは「フラッシ（ュ）」。

フラッシュガン

削**第八版**（2022・令4）。１９２０年代に米英で言われた語から。

削**第四版**（1992・平4）。戦前は「フラ」「フラダンス」「フラフラダンス」の語形が見られた。第七版以降は「フラ」が主見出し。

フランス（名）〔France＝仏蘭西〕

●ーデモ（名）〔和製 France demo〕手をつなぎあい、道路いっぱいに広がって行進するデモ。

ふりうり〔振り売り〕（名）商品をかつぎ、声を出して売ってあるく・こと（人）。

削**第八版**（2022・令4）。特に1960年代の学生運動で行われた。

フランスデモ

削**第二版**（1974・昭49）。リヤカーや、近年は軽トラックを用いたものさえも振り売りと呼ばれることがある。第八版で復活したが、語釈は「てんびん棒をかつぎ…」とする。

ふりかえ〔振替〕ーカへ（名）

ーちょきん〔振替貯金〕（名） 郵便貯金の形式で「振替㊁」を行なう制度。郵便振替貯金。

ふりにし〔▽古りにし〕（連語）〔雅〕すっかり古くなった。ずいぶん年をへた。「ー庭」

ふ・りる〔▽古りる〕（自上一）〔古風〕古くなる。「年古り〔=長い年月がたち〕人移り」〔文語体は、「古る」〔自上二〕〕。「古りしハモニカ」

フル ファッション（名）〔full(y)-fashoned〕からだにぴったり あうように仕立てたもの。特に、タイツやストッキングについて言う。

ふれん〔婦連〕（名）←婦人団体連盟。「地ー〔=地域婦人団体連盟〕」

削 **第二版**（1974・昭49）。1906年から実施され、66年に「郵便振替貯金」から「郵便振替」に制度変更。現在はゆうちょ銀行が取り扱う。

削 **第八版**（2022・令4）。「ふる」＋完了「ぬ」連用形＋過去「き」連体形。

削 **第七版**（2014・平26）。明国改訂版では造語成分の扱いで、用例は「聞きふりた」。

削 **第三版**（1982・昭57）。「フルファッション靴下」は後ろに縫い目の入ったストッキングであり、線が崩れることがあった。1960年代からはシームレスのもの（シーム・フリー）が人気を博した。

削 **第六版**（2008・平20）。

ふ

ふ

プロー〔接頭〕〔pro〕好意を持つこと。支持すること。親(シン)。ひいき。「**―**日本〔=親日〕」(↔アンチ)

プロージット〔感〕〔ド prosit=健康を祝す。おめでとう〕乾杯(カンパイ)のときに となえることば。

プロセント〔名〕〔ポ procento〕パーセント。プロ。

プロマイド〔名〕ブロマイド。

ぶんしょう【文相】〔名〕〔文〕文部大臣。

ぶんせき【文責】〔名〕 ●**文責(在)記者** 句 文責はその文章をまとめた記者にある。

削 **第五版**(2001・平13)。1910年代にはすでに「プロ日本」と言われている例がある。いわゆる「プロコン」(pros and cons)の「プロ」。

削 **第七版**(2014・平26)。☞スコール(116ページ)

削 **第八版**(2022・令4)。初版のみ原語はドイツ語Prozentだった。

削 **第七版**(2014・平26)。「ブロマイド」の項目には第五版まで「あやまって」プロマイドの語形があると注記された。第七版でプロマイドの説明は「商品名」となった。

削 **第五版**(2001・平13)。☞文部大臣(217ページ)

削 **第八版**(2022・令4)。第二版「文責」の注付き用例が句見出しに。

ブンゼンとう【―燈】(名)〔Bunsen＝人名〕〔理〕石炭ガスを、高い熱で、煙の出ない炎（ホノオ）にしてもやす道具。化学の実験に使う。

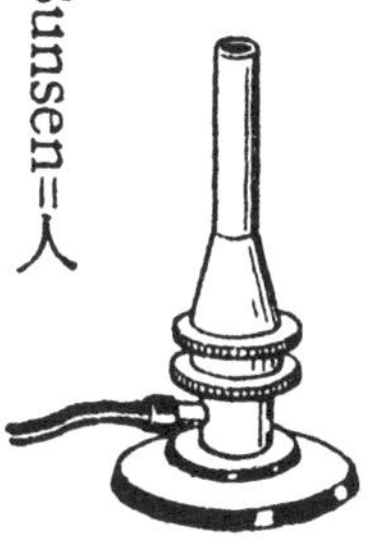

［ブンゼンとう］

ぶんまわし【ぶん回し】ーマハシ(名) 円を書くための、かんたんなコンパス。

ふんらい【紛来】(名・自サ)〔官庁で〕郵便物（ユウビンブツ）がまちがって配達されること。

ヘアドレス(名)〔和製 hair dress〕洋髪（ヨウハツ）の、かつら。

へいか【平価】(名)

●**ーきりさげ**【平価切り下げ】(名)《経》通貨の対外価値を引き下げること。(↔平価切り上げ)

削 **第二版**（1974・昭49）。理科の実験でおなじみのガスバーナー。

削 **第三版**（1982・昭57）。明国～改訂版の表記は「筆規」。

削 **第二版**（1974・昭49）。三国から枝分かれした新明解国語辞典に残る。

削 **第八版**（2022・令4）。今で言うウイッグ。

削 **第八版**（2022・令4）。固定相場制で行うもので、1973年にドル円が変動制になると縁遠い概念に。

べいしょ【米書】(名)〔文〕アメリカの本。

べいてい【米帝】(名)〔文〕↑米〔=アメリカ〕帝国（テイコク）主義。アメ帝。

ペイテレビ(名)〔←pay television〕有料のテレビ放送。

ペー(名)〔中国 白=白い粉〕〔俗〕ヘロイン。「ー患（カン）〔=ヘロイン中毒患者（カンジャ）〕」

ベーシック(えいご)【ー(英語)】(名)〔basic〕八五〇語を基本とする、簡単にされた英語。基本英語。

ベーラム(名)〔bay rum〕頭の地はだを清潔にし、毛根（モウコン）に栄養を与える香水。

ぺちゃぱい(名)〔俗〕ぺちゃっとした〔=平たい〕おっぱ

[削]**第七版**(2014・平26)。戦後の改訂を通じて「米画」「米艦」「米機」「米紙」「米誌」「米兵」など多数の「米○」が消えた。

[削]**第五版**(2001・平13)。現在も非難したりからかったりする文脈で使うことがある。

[削]**第八版**(2022・令4)。特にホテルなどで料金を払って見る衛星放送・ケーブルテレビのチャンネルを指す。

[削]**第七版**(2014・平26)。項目「ヘロイン」に俗語形として載る。

[削]**第二版**(1974・昭49)。この基礎語彙によってすべてのことが表現でき、英語の速習が可能とされた。

[削]**第二版**(1974・昭49)。戦後まで「ベーラムポマード」「ベーラムチック」などが売られていた。

[削]**第五版**(2001・平13)。ことばとし

い。

ベネシャンブラインド（名）〔Venetian blind〕うすくて細い板をひもでつなぎあわせた、すだれ式の日よけ。ひもを引いてすきまを調節する。ブラインド。

ヘラクレスがた【ヘラクレス型】（名）〔Herakles＝ギリシャ神話の中で最大の英雄(エイユウ)の名。力持ち〕男のからだつきで、筋肉がもり上がったようなタイプ。（↔ヘルメス型）

へらこ・い（形）〔方〕ぬけ目がない。〔徳島県・香川県の人の性格を批評することば〕派生 へらこさ（名）。

ヘルス（名）〔health〕 ●**―センター**（名）〔health center〕プールや娯楽(ゴラク)の設備をそなえた所。

ては消えておらず、俗っぽすぎるとの判断による削除か。１９９０年代に定着した「貧乳」も立項されていない。☞ボイン（194ページ）

削**第五版**（2001・平13）。「ブラインド」の項目より語釈が詳しい。

削**第七版**（2014・平26）。１９６０年代頃までは体育・スポーツ分野で言われたようだ。☞ヘルメス型（194ページ）

削**第七版**（2014・平26）。土佐の「いごっそう」は第二版で同時に立項され、現在まで残る。

削**第七版**（2014・平26）。草分けとなった船橋ヘルスセンターは１９５５年開業。東京湾岸から湧き出た温泉に遊園地や巨大プール、宴会場

ヘルダイブ（名）〔hell dive〕急降下（キュウコウカ）爆撃（バクゲキ）。

ヘルメスがた［ヘルメス型］（名）〔Hermes=ギリシャ神話で、神の名〕男のからだつきで、筋肉・関節のしなやかなタイプ。（↔ヘラクレス型）

ヘレ（名）〔フ filet〕ヒレ。「**―**ステーキ」

ペレストロイカ（名）〔ロ perestroyka=立て直し〕〔もとソ連での〕政治・経済・社会などの改革路線。

へんけつ［返血］（名・自他サ）〔医〕血液銀行に自分の血をあずけておき、手術を受けるときに、同じ血液型の血を提供（テイキョウ）してもらうこと。

ぼいん［ボイン］（名）〔俗〕乳房（チブサ）の大きなこと。ま

などを備えた複合娯楽施設で、高度成長期に大繁盛した。

削 **第二版**（1974・昭49）。急降下爆撃機「ヘルダイヴァー」（SB2C Helldiver）からの逆成か。

削 **第七版**（2014・平26）。「ヘラクレス型」（☞193ページ）に比べると神についての説明が貧弱。

削 **第五版**（2001・平13）。第七版から「ヒレ」の語釈で「ヘレ〔関西方言〕」として紹介。

削 **第八版**（2022・令4）。歴史用語化したとして削除。同版刊行の年に主導者ゴルバチョフ没。

削 **第五版**（2001・平13）。☞血液銀行（75ページ）

削 **第八版**（2022・令4）。性俗語を縮

た、その乳房。〔一九六七年に広まったことば〕

ほうがえし【法返し・方返し】ーガヘシ（名）⇩ほおがえ（頰返）し。

ほうちゅう【訪中】（名・自サ）〔文〕中国を訪問すること。

ほうてい【法定】（名・他サ）

●**ーでんせんびょう**【法定伝染病】（名）もと、役所への届け出、患者（カンジャ）の隔離（カクリ）などが、法律で決められていた伝染病。例、赤痢（セキリ）・コレラ・腸チフス。〔家畜（カチク）に対しては別に決められている〕⇩：感染症（カンセンショウ）。

ほうねん【豊年】（名）

ーむし【豊年虫】（名）〔動〕水田・池・沼（ヌマ）などに住む小さな細長い動物。たくさん発生すると、豊年になると

小する編集方針で削除。「巨乳」も立項しない。☞ぺちゃぱい（192ﾍﾟｰ）

削 **第五版**（2001・平13）。「頰返し」は「頰返しがつかない」（＝どうにもしようがない）などの慣用句で用い、「法」「方」は異表記。

削 **第三版**（1982・昭57）。初版では「中共・（中国）を訪問すること」。

削 **第八版**（2022・令4）。1998年、伝染病予防法に代わり感染症予防法が制定されて制度が変更。同版では「感染症」の項目で説明される。また、アプリ版三国なら「法定伝染病」で検索すれば「感染症」が開ける。

削 **第二版**（1974・昭49）。体長2センチほどで、半透明または緑色の生物。

いわれる。ほうねんえび。

ぼうやき［棒焼き］〈名〉〔俗〕〈写真で、何こまも続いた〉長いネガを、そのまま密着で焼きつけること。

ボール〈名〉〈ポ bolo の変化〉⇩ボーロ。「衛生ー〈=菓子(カシ)の名〉」

ぽかきゅう［ぽか休］〈名〉〔俗〕ぽかっと〈=不意に〉勤務をやすむこと。無届け欠勤。

ほくおう［北奥］〈名〉〔地〕奥羽(オウウ)地方の きたの半分〈=青森・秋田・岩手県〉。

ほくせん［北鮮］〈名〉〔地〕朝鮮(チョウセン)半島の北の・部分(地方)。朝鮮民主主義人民共和国がある。〈↔南鮮〉

ほくまん［北満］〈名〉〔地〕満州の きたの部分。

ほしおくり［星送り］〈名〉〈「星」はサテライト、「送り」はリレーの直訳〉〔俗〕放送衛星を使った番組の

削**第八版**(2022・令4)。ここでの「密着」は「引きのばさないで焼きつけ〈ること／た印画〉」の意。

削**第五版**(2001・平13)。

削**第七版**(2014・平26)。国鉄などで労働組合員によるサボタージュの一環として横行した。

削**第二版**(1974・昭49)。辞書の中では「北欧」と隣り合う。

削**第六版**(2008・平20)。「南鮮」(☞159ページ)も削除。いずれも現在は使用しない語。

削**第二版**(1974・昭49)。

削**第七版**(2014・平26)。放送業界用語。

ほ

中継(チュウケイ)放送。

ホスジャンプ(名)〔↑ホップ ステップ エンド ジャンプ(hop step and jump)〕三段飛び。

ぽっくり(副) ●**ーでら**[ぽっくり寺](名)〔俗〕〔老人が〕お参りすると、寝(ネ)ついたりしないで、ぽっくりと死ねるご利益(リヤク)がある、とされている寺。

ぽっくり(副) ●**ーびょう**[ぽっくり病](名)〔俗〕ふだんじょうぶな人が、寝(ネ)ている間にとつぜん死んでしまう、原因不明の病気。

ボディー(名)(body) ●**ーウエア**(名)〔body wear〕〔服〕ブラウスやシャツふうの上着とパンティーを続けて仕立てた洋服。

ぽてんと(副)〔俗〕〔野球で〕小さなフライが、急に、

削**第二版**(1974・昭49)。「ホップステップ」の頭文字を取った、1920年代からある和製英語。

削**第八版**(2022・令4)。1970年頃から「ぽっくり信仰」を集める寺が現れた。きっかけは有吉佐和子『恍惚の人』(1972)とされる。奈良県斑鳩の吉田寺《きちでんじ》が有名。

削**第八版**(2022・令4)。戦後、原因不明の急死例が多数報告され、1950年代以降この呼称で注目された。

削**第六版**(2008・平20)。第三版は「ボデーウエア」。

削**第五版**(2001・平13)。「テキサス性のヒット」(第二版)である「ぽてんヒ

ほ

手前におちるようす。

ボトラー（名）〔bottler〕ジュース・コーラなどを、びんにつめる会社。

ほのほ［炎］（名）「ほのお」の、歴史的かなづかいに引かれた言い方。

ほんガス［本―］（名）〔俗〕〔プロパン ガスに対して〕都市ガス。

ぼんきゅう［盆休］（名）〔ひと月おくれの〕お盆のときに取る休暇（キュウカ）。盆休み。

ぼんとう［盆闘］（名）〔俗〕お盆のボーナスをめぐっておこなう闘争（トウソウ）。夏季闘争。

ホンパン①［シ・《紅〈幇・《紅〈帮］（名）中国の秘密

ット」は同じく第二版で立項され、現在も残る。

削 **第三版**（1982・昭57）。飲料原液の供給を受け、炭酸を加えボトリングして小売店に卸す中間業者のことで、コカコーラ（☞82ページ）のボトラーは一時期日本国内だけで17社あった。

削 **第七版**（2014・平26）。歴史的仮名遣いによる逆成。音声での用例採集の成果。☞あほる（20ページ）

削 **第五版**（2001・平13）。☞生ガス（158ページ）

削 **第五版**（2001・平13）。同版で「盆休み」の同義語に入った。

削 **第五版**（2001・平13）。「（お）盆闘争」「越盆闘争」とも言った。

削 **初版**（1960・昭35）。チンパン（青幇）より「悪質」とした根拠は不明。

ほ

結社。チンパンより悪質。

ぼんぼんどけい ⑤【ぼんぼん《時計》】（名）振子どけい。

削 **初版**（1960・昭35）。正時に「ボーンボーン」と鳴る時計。現代でもこう呼ぶ例は少なからずある。

マイク（名）　**ーロケ**（名・他サ）その場にマイクロホンをすえつけて放送すること。

☆☆**マイクロ**〔micro〕　●**ーマイクロ**（名）〔micromicro〕百万分の一の また百万分の一。一兆分の一。「ーキュリー」

マイナス（名・他サ）〔minus〕　●**ーイオン**（名）〔和製 minus＋ドion〕《理》マイナスの電気をおびたイオン。陰(イン)イオン。（↔プラス イオン）

まえうた〔前歌・前唄〕マヘー（名）①〔歌謡(カヨウ)曲の興行で〕主役の歌手が出る前に歌う歌手。②歌謡曲・民謡で、中心部分に先立つ部分の歌。

まえばり〔前張り・前×貼り〕マヘー（名）はだかで演技をする俳優が、陰部(インブ)をかくすためにはりつけ

削**第二版**（1974・昭49）。今だと「中継」か。

削**第八版**（2022・令4）。国際単位系では「ピコ」。なお「キュリー」は1975年「ベクレル」に変わり、同版で削除。

削**第八版**（2022・令4）。正式な用語ではないとして廃項。第二版～第三版では「これをふくむ空気は健康によいといわれる」とあった。

削**第八版**（2022・令4）。①は前座のような意で「前歌時代」(前歌を務めた時期)という表現もある。

削**第七版**（2014・平26）。☞愛液（15ページ）

るもの。

まくり⓪（名）〔植〕「ふじまつも③」科の海草。温かな海中の岩石に着き、根は円盤状で、茎は円柱状。回虫駆除（クジョ）用。

削 **初版**（1960・昭35）。明国の表記は「海仁草・海人草・鷓鴣菜」。新生児に飲ませ胎便を「まくり出す」のに江戸期から用いられた。戦後も児童は虫下しで煎じた湯を飲まされ、臭くてまずかったという。初版で「海仁草《かいにんそう》」（☞43ページ）に項を改めた。

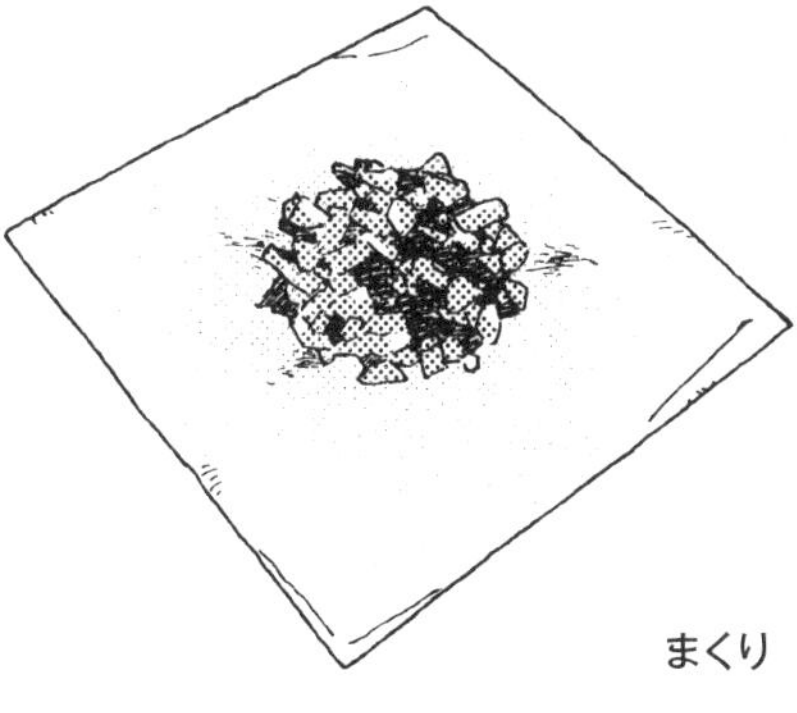
まくり

マジック（名）〔magic〕

――アイ（名）〔magic eye〕ラジオなどのダイアルを合わせるとき、光って目じるしになる真空管。

☆☆**マジック**（名）〔magic〕

――ペン（名）〔Magic Pen＝商品名〕フェルトペンの一種。インクは油性で、水にぬれてもにじまない。

ましみず〔増し水〕―ミヅ（名・自サ）足して多くする（した）水。

ますらたけお〔（：益荒＝▽猛▽男）〕―タケヲ（名）〔雅〕ますらお。

また〔文〕

●**またという日**　句　またいつか会える日。「―があるぜ」

まだる・い〔（間▽怠い）〕（形）まだるっこい。派生 間怠さ。

削**第二版**（1974・昭49）。真空管ラジオに備わる円形の表示器で、チューニングが合うと、暗い扇状の部分が狭くなって知らせた。

削**第五版**（2001・平13）。「商品名」とあるがマジックインキ（内田洋行の商標）との混同か。同版で「マジックインキ」が立項され、第六版で「マジック（ペン）」を同義語に示す。

削**第七版**（2014・平26）。「洪水」の語義は第二版で削除。

削**第八版**（2022・令4）。「ますらお」の項目内に同義語として残る。

削**第八版**（2022・令4）。「またの日」は今もある。

削**第八版**（2022・令4）。「まだるっこい」の項目内に残り、同版で〔古

まちのおんな【街の女】ーヲンナ（名）〔俗〕街娼（ガイショウ）。ストリート ガール。

まちのしんし【街の紳士】（連語）〔俗〕〔古風〕ギャングのかしら。

まちのだに【街の：壁蝨】（名）〔俗〕やくざ。ちんぴら。

まちのてんし【街の天使】（連語）〔俗〕売春婦。

☆☆**まぬが・れる**【免れる】（他下一）

●**免れて恥**（ハジ）**なし** 句 〔文〕罰（バツ）を受けなかったことをいいことにして、平気な顔をしている。

まのろ・い【間▽鈍い】（形）のろい。「ーお役所仕事」
派生 間鈍さ。

まぶし・む【×眩しむ】（自五）〔文〕まぶしがる。

風〕が付された。

削 **第八版**（2022・令4）。同版で「夜の女」の項目内に同義語で入った。

削 **第七版**（2014・平26）。語義が文脈によりけりだとして「夜の紳士」（☞224ページ）とともに削除。

削 **第八版**（2022・令4）。初版から「だに」には第2義があり、その用例に残る。

削 **第五版**（2001・平13）。

削 **第六版**（2008・平20）。論語のことば。

削 **第八版**（2022・令4）。第二版で消え、第三版で上掲の用例付きで復活。

削 **第六版**（2008・平20）。

ま

マホメットきょう【―教】(名)〔Mahomet=人名〕〔宗〕イスラム教。

ままし・い【(▽継しい)】(形)〔文〕①まま親とまま子の間がらだ。「―母」②腹ちがいだ。

まめいた【豆板】(名)いりまめを砂糖で平たい板のようにかためた菓子(カシ)。

マラソン(名)〔Malathion の日本での呼び名〕〔理〕ウンカ・アブラムシ・ダニなどを殺す、りん(燐)をふくむ殺虫剤(ザイ)の商品名。「―剤・―乳剤」

マラソン(名)〔marathon=もと、地名〕●**―きょうそう**【マラソン競走】(名)①四二・一九五キロを走る競走。②〔俗〕かけ足の競走。長距離(キョリ)競走。⇩:フル マラソン・ハーフ マラソン。

削 **第五版**(2001・平13)。イスラムの俗称。創唱者の名の表記は、原音に近いとされる「ムハンマド」が1970年代頃から徐々に増える。

削 **第八版**(2022・令4)。

削 **第三版**(1982・昭57)。初版までは「豆粒のような形の銀貨」の語義があったが、第二版で削除。

削 **第六版**(2008・平20)。「ホリドール」などに代わる毒性の少ない殺虫剤として開発された。

削 **第六版**(2008・平20)。明国以来、競技の説明は「マラソン競走」が主で「マラソン」が空項目という関係だった。第六版から「マラソン」に集約されて「マラソン競走」の見出し語は消えた。

まるこう〔名〕①〔「マル公」とも書く〕↑公定価格。記号「(公)」。〔第二次大戦中から戦後まで使われた〕②〔ふつう「マル高」と書く〕〔俗〕↑高齢（コウレイ）出産。

マルセル（せっけん）【—（石〈鹸〉）】〔名〕〔Marseille〕オリーブ油を原料とした、品質のいい せっけん。生糸（キイト）の精練や人絹・毛糸の洗たくに使う。

まるてき〔名〕〔「マル適」とも書く〕品質や管理がじゅうぶんであることを保証する〈こと／記号〉。「㊜」。「—マーク」

まるメ〔名〕〔㋱の記号を用いる〕↑メーカー希望小売価格。

マンハント〔名・自他サ〕〔manhunt〕〔俗〕①〔女性が〕男性をもとめ あさること。ボーイ ハント。②犯人追跡（ツイセキ）。

マンマンデー〔形動ダ〕〔中国 慢慢的〕仕事などの

削**第七版**（2014・平26）。②は同版で「マル高」として独立。①は表記欄が一定せず、初版まで「丸公」、第二版「(公)」、第三版「マル公・(公)」、第四版「丸公」、第五版から上掲の形。

削**第二版**（1974・昭49）。明治期から使われているが、近年は生産終了が相次ぐ。

削**第八版**（2022・令4）。☞適マーク（142ページ）

削**第七版**（2014・平26）。

削**第七版**（2014・平26）。語義①は日本でのみ通用する。

削**第七版**（2014・平26）。明国～改訂

ま

進みぐあいなどが、ゆっくりしているようす。のろのろ。

ミゼラブル（形動ダ）〔miserable〕みじめ。悲惨（ヒサン）。

みた【三田】（名）　**慶応義塾（ギジュク）大学の別の名。「ー派」**

みつき【見（付き）】（名）　見かけ。外観。「ーは悪いが使いやすい・ーがごつい」

みつもく【三つ〈杢〉】（名）〔服〕よりをかけた糸を三本使って織る織り方。厚くてじょうぶ。背広地用。

みてくれ【見て（▽呉れ）】（名）〈↑これを見てくれ〉

●**見てくれの仕事** 句 見かけだけよくした仕事。

みと・む【認む】（他下二）〔文〕みとめる。「特例ー」

みどり【緑】（名）

ーのはね【緑の羽根】（連語・名）山に木を育てるためにおかねを寄付（キフ）してくれた人に渡

版は「マンマンデ」。

削**第七版**（2014・平26）。原語は一貫して英語という扱い。

削**第二版**（1974・昭49）。☞稲門（149ページ）

削**第七版**（2014・平26）。

削**第五版**（2001・平13）。第二版の用例「ーポーラー」のポーラーは、主に夏用の毛織物。

削**第八版**（2022・令4）。第二版では「見て呉れ」の注付き用例だった。

削**第七版**（2014・平26）。文語形。

削**第二版**（1974・昭49）。当初の標語は「荒れた国土に緑の晴れ着を」で1950年から募金活動が続くが、

（ワタ）す、緑色の羽根。

みなれざお【▽水×馴れ×竿】ーザヲ（名）水底にさして、ふねを進めるさお。

ミニしんかんせん【ミニ新幹線】（名）在来線のレールはばを新幹線と同じにし、在来線なみの大きさの車両で新幹線と直通運転をする路線（の列車）。

みよがし【見よがし】（形動ダ）〔見るの命令形「見よ」に終助詞「かし」のついた語〕見てほしいと言わんばかりに見せびらかすようす。これみよがし。

ミルク（名）〔milk〕

ミルク ーホール（名）〔milk hall〕牛乳やパンなどを出す、軽便な飲食店。

明治後期に成功したビヤホールの後を追うように20世紀初頭から流行。当時は「きんつばホール」「蜜豆ホール」などの各種の「○○ホール」があった

すぐ廃項に。「赤い羽根」は初版以降載る。☞自動券売機（101ページ）

削**第七版**（2014・平26）。

削**第七版**（2014・平26）。正式には「新幹線直行特急」。軌間が同じ新幹線と直通運転できる。山形新幹線と秋田新幹線が該当。

削**第六版**（2008・平20）。同版で「これ見よがし」に合流。

み

という。東京の本郷や〝学生銀座〟神田神保町などで学生が飲食しながら集う場として繁盛し、しだいに一般の大人たちも入るようになっていった。『大正営業便覧』(1914)からメニューの一部を挙げれば、「ゼルシー牛乳(=ジャージー牛乳)　五銭」「玉子入牛乳　八銭」「ミルクセーキ　十銭」「氷レモン(=かき氷)　三銭」「ジヤム バタ付食パン　五銭」といった具合。なお、牛乳は温かくして飲ませるものが普通で、冷製は別に「氷牛乳　五銭」とある。

戦後は喫茶店などに押されて数を減らし、三国からは第二版(1974・昭49)で削除。ちょうど刊行の同年には池袋パルコで、昭和初期のミルクホールを再現したコーナーが現れ、「ヤングに大もて」(読売新聞)だったという。

ミルクホール

みんこう【民航】(名)↑民間航空(事業)。

削 **第八版**(2022・令4)。軍用航空以

みんだん【民団】(名) その国に住む、外国人の団体。居留民団。

ムーブマン(名)〔フ mouvement〕〔芸術上の〕動勢。

むぐら【(・・土竜)】(名)〔動〕もぐら。

むし【虫】(名) ●**虫がかぶる** 句〔俗〕産気(サンケ)づく。陣痛(ジンツウ)が起こる。虫をかぶる。

むしぐすり【虫薬】(名) 子どもの虫気(ムシケ)をなおす薬。

む-せえ⓪【無聲】─セイ(名)

─-ええが④【無聲映畫】─エイ─(名) 音響

外のこと。

削 **第六版**(2008・平20)。現在であれば「在日本大韓民国民団」のことだが、明国当時は中国に在留する日本人行政組織を指した。

削 **第七版**(2014・平26)。「ムーブメント」は第六版以降あり。

削 **第七版**(2014・平26)。明国〜改訂版は「むぐらもち」、初版は「むぐら(もち)」。

削 **第六版**(2008・平20)。「かぶる」はただの腹痛なのに対し、産気づいた状態に限定している。

削 **第五版**(2001・平13)。語釈の「虫気」は寄生虫や消化不良の症状のことだが、じつは第四版には項目がない(第三版で既に削除)。

削 **明国改訂版**(1952・昭27)。1930年代にトーキーに移行するまでの30年余りがサイレント時代。

を伴なはない映畫。サイレント。

むとう【無党】(名)〔文〕どの党派にも属さないこと。「—無派」

☆☆→**め**【目・《眼》】(名)

目がうすくなる 句 視力がおとろえる。

☆☆**めいきゅう**【盟休】(名・自サ)〔文〕←同盟休校〈=学生ストライキ〉。

めいちゅう【×螟虫】(名)《動》イネの害虫。小さなイモムシの形をして、成長するとガになる。ずいむし。

めいろん【迷論】(名)〔俗〕わけの わからない議論。

メータク(名)〔俗〕車に取り付けたメーターで料金を計算するタクシー。

メーン【—】(名)〔main〕

め

削**第二版**(1974・昭49)。同版から「無党無派」が立項。

削**第五版**(2001・平13)。第四版で立項後、次版ですぐ削除。

削**第七版**(2014・平26)。戦後盛んに行われた。「休校②」の用例に注として残る。仕事のストライキ(同盟罷業)を盟休と言うことも。

削**第八版**(2022・令4)。「ずいむし」も同時に削除。

削**第六版**(2008・平20)。

削**第二版**(1974・昭49)。固定料金の「円タク」(初版で削除)に対して、距離制運賃のものを言った。

―エベント（名）〔米 main event〕〔その日の〕おもな試合。おもな競技。

明解国語辞典の母体となった小辞林（1928）には main も event も項目がなく、最初に収められた語形は明国（1943）の「メエンイヴェント」であった。同時に「イヴェント」も立項された。同時期の新聞雑誌語辞典（1948）には「メーン・イヴェント　拳闘で、最後の取組、或は主将組をいふ」とありプロボクシングで使われていたようである。

日本語では発音が「エベント」となまることが多く、明国ですでに「エベント」の空見出しが存在し、明国改訂版（1952）では見出し語が「メエンエベント」に変わっている。何と言っても戦後のプロレスブームが「メーンエベント」を後押しした。力道山・木村政彦対シャープ兄弟のタッグマッチを始めとする

メーンエベント

昭和の名勝負が街頭テレビで、やがてはお茶の間で人々を沸かせた。バブル景気の終焉《しゅうえん》時に改訂された第四版(1992・平4)で、見出しは「メーンイベント」に交代し、「メーンエベント」は消え去った。そして親見出しの「メーン」が第六版(2008)で、空見出しだった「メイン」に軸足を移して、「メークアップ」「メード」などに先んじて長母音表記を脱し、現代的な二重母音を採り入れる。結果、「メーンイベント」も「メインイベント」に移行した。しかし往年の「メーンエベント」も耳目に触れるためか、第七版(2014)からは語釈末尾に「メーン エベント〔古風〕」と添えられ、生き残っている。

メガ サイクル(名)〔megacycle〕〔理〕「メガ ヘルツ」の古い言い方。

メタル(名)〔metal〕 ●**―テープ**(名)〔metal tape〕《理》酸素をふくまない純粋(ジュンスイ)の鉄を使った磁気テープ。性能がすぐれている。

削 **第七版**(2014・平26)。1992年の計量法改正で周波数の単位は「ヘルツ」に統一、97年に猶予期間が切れて移行が完了。

削 **第八版**(2022・令4)。1978年、音質を追求する中で生まれたテープの一種。お気に入りの曲を吹き込んで近しい人に贈ることもあった。

め

めつ［滅］（名） 電灯が消えていること（をしめす記号）。（↔点）

メッチェン（名）〔ド Mädchen＝少女〕〔古風・学〕むすめ。メッチン。

めドラ［女ドラ］（名）〔ドラ←ドライバー〕〔俗〕女性ドライバー。

メノコ（名）〔アイヌ menoko〕おんな。むすめ。

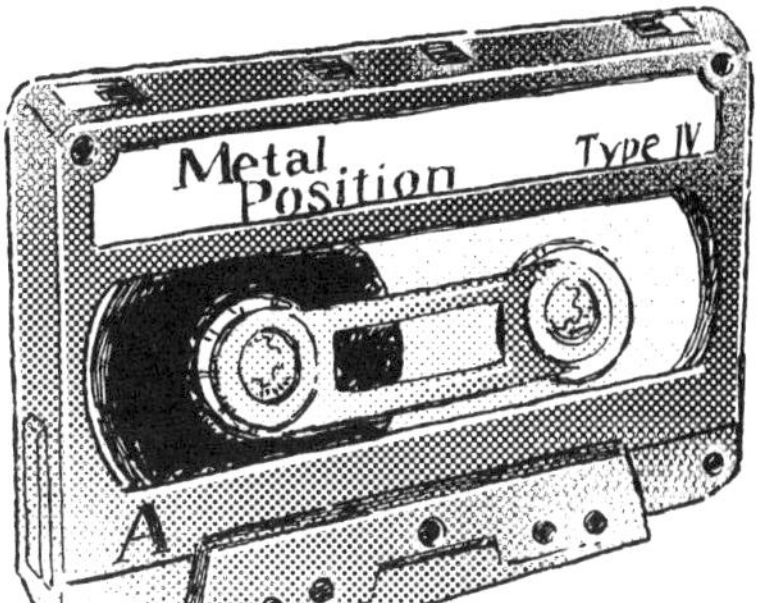

メタルテープ

削 **第八版**（2022・令4）。「点」の対応する語義も削除。

削 **第八版**（2022・令4）。戦前の学生語。

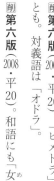

削 **第六版**（2008・平20）。「ヒメドラ」とも。対義語は「オドラ」。

削 **第六版**（2008・平20）。和語にも「女《め》

も

メリケン（名）〔アメリカンの変化。「米利堅」と当てた〕

●**―はとば**［メリケン波止場］（名）〔俗〕外国船の出入りする〈波止場／港〉。

メルバ（名）〔Melba＝ソプラノ歌手の名〕〔↑メルバ ソース（Melba sauce）〕イチゴを煮（ニ）て うらごしにしたソース。「ピーチ―〔＝バニラのアイス クリームの上に煮たモモを のせ、メルバ ソースをかけたもの〕」

もうこ［蒙古］（名）

●**―しょう**［×蒙古症］（名）〔俗〕⇩ダウン症候群（ショウコウグン）。

モートル（名）〔オ motor〕⇩モーター①②。

モーニング（名）〔morning〕

●**―ショー**（名）〔morning show〕朝のニュース ショー。

の子《こ》」があり、明国に採録。

削 **第八版**（2022・令4）。神戸のものが有名だが、横浜にもあった。

削 **第六版**（2008・平20）。ネリー・メルバは1861年生まれ、1931年没。上掲の語義は、英語では50年代から例があるという。

削 **第七版**（2014・平26）。英語Mongolismの和訳。差別的な病名で、英語・日本語とも現在は用いない。

削 **第八版**（2022・令4）。

削 **第八版**（2022・令4）。NETテレビ（現テレビ朝日）の『木島則夫モーニング・ショー』は1964年放送開始。ワイドショーの草分けとなった。

もぐず・る（自五）〔俗〕もぐる。「ふとんにもぐずりこむ」

もくちんアパート【木賃―】（名）〔↑木造賃貸（チンタイ）アパート〕〔鉄筋のアパートに対して〕民間の（安い）木造アパート。

もじえ【文字絵】（名）①文字を組みあわせて、絵のような形をあらわしたもの。②絵を組みあわせて、文字の形を あらわしたもの。

［もじえ①］

もち・う【用う】モチフ（他上二）〔文〕もちいる。「円満に妥結（ダケツ）することに意を―べきである」

もっかい ⓪【黙解】（名・他サ）〔↑黙認了解〕〔文〕わかったことにしてそのままにしておくこと。

もっきん【木筋】（名）コンクリートの たてものの心（シン）

削**第七版**（2014・平26）。圓生の落語などから直接採集された語。

削**第五版**（2001・平13）。「木賃宿《きちんやど》」の「木賃」は薪の代金だが、この木《もく》賃《ちん》は略語。なお明国～改訂版には「木賃《もくちん》ホテル」が採録されており、これは木賃《きちん》を漢語風に呼んだものか。

削**第七版**（2014・平26）。代わって「へのへのもへじ」が立項され、上掲の挿絵もそのまま移された。

削**第七版**（2014・平26）。文語形。

削**初版**（1960・昭35）。使いどころはありそうなのに日本国語大辞典くらいにしか見当たらない。

削**第二版**（1974・昭49）。鋼材でなくに入れる木材。「━コンクリート」

もとき［本木］（名）●本木に勝（マサ）る末木（ウラキ）なし 句 （つきあう異性などを）いろいろ取り替（カ）えてみても、やはり最初のものが いちばんよい。

モノセックス（名）〔和製英語 monosex〕〔服〕男女の区別がないこと。男女共通。〔英語では、ユニセックス〕「━ファッション」

モノロック（名）〔和製英語 monolock〕 ドアの外がわの、にぎりの部分にシリンダー錠（ジョウ）を組みこんだ錠。〔かぎがかかっても、内がわからは にぎりを回すだけであけられる〕

モヒ（名）↑モルヒネ。「━中毒」

もみじ［（紅葉）］モミヂ（名・自サ）●━マーク〔（紅葉）マーク〕（名） 自動車の運転者が七十五歳

木材や竹材で補強した構造は戦前からあった。「竹筋《ちくきん》」は不採録。

削 第八版（2022・令4）。「本木」は木の幹。対する「末木」は梢のことで、項目としては第二版で削除されている。

削 第七版（2014・平26）。1970年代から「ユニセックス」とともに言われ始めた。

削 第三版（1982・昭57）。銀色のノブの真ん中にプッシュボタンかサムターンがあるのが典型。住宅のドアとして戦後に普及。衝撃に弱く、泥棒がやすやすと破壊して侵入できた。

削 第七版（2014・平26）。

削 第七版（2014・平26）。1997年に導入。橙と黄色の意匠が「枯れ葉マーク」などと揶揄され嫌われた

（サイ）以上であることをしめすために、車体の前後にはりつけるマーク。⇩：若葉マーク。

ももんじい（名）〔俗〕いのしし・しか などの肉。

もんぶ［文部］（名）

━だいじん［文部大臣］（名）〔法〕国務大臣の ひとりで、文部省の長官。

ため、２０１１年から新たな「四つ葉マーク」（70歳以上）に変更。

削 **第二版**（1974・昭49）。今ならジビエ。売る店は「ももんじい屋」。

削 **第五版**（2001・平13）。同版刊行年に文部省は文部科学省に再編。「文相《ぶんしょう》」（☞190ページ）も削除。

明国 1 改 三国 1 2 3 4 5 6 7 8

や ゆ よ

やあさま［やあ様］（名）〔やあ↑やくざ〕〔俗〕やくざ。やあさん。やあ公。

やくざ（名・形動ダ）

―おどり［やくざ踊り］―ヲドリ（名）（やくざの服装をし）流行歌にあわせて おどる、踊り。

やさし・む［優しむ］（自他五）〔文〕やさしく〈してやる／なる〉。

やすけ［弥助］（名）〔俗〕すし。〔芝居(シバイ)で「義経(ヨシツネ)千本桜」の「鮨屋(スシヤ)の段」の下男の名から〕

やすぴか［安ぴか］（名）〔俗〕安物のくせに ぴかぴかして、上等そうに見えること。「―物」

やすぼった・い［安ぼったい］（形）〔俗〕安物に見え

削 **第六版**（2008・平20）。同版で「やあさん」、第七版以降「ヤーさん」に見出し語が変わった。

削 **第二版**（1974・昭49）。戦後、農村の青年の間で大いに流行ったという。

削 **第八版**（2022・令4）。

削 **第八版**（2022・令4）。芝居の舞台になったとされる店は、奈良県吉野郡に現存する。

削 **第七版**（2014・平26）。遅くとも大正期には例のある語。

削 **第七版**（2014・平26）。

て、品(ヒン)がない感じだ。やすっぽい。派生 安ぼったさ(名)。

やすり【鑢・鉅】(名)

ばん【〈鑢板】(名) 鋼鉄の いたに こまかい きざみ目を入れたもの。謄写(トウシャ)版の原紙に字を書くときに下に敷(シ)く。

やぶいちくあん【×藪井竹×庵】ヤブヰー(名)〈俗〉やぶ医者を、人の名前のように言ったことば。

やぼ・い【(:野暮い)】(形)〈俗〉やぼだ。派生 やぼさ(名)。

やまおやじ【山〈親×爺〉】ーオヤヂ(名)〈北海道で〉↷ひぐま。

やみしょうぐん【闇将軍】(名)〈俗〉かげにかくれて、権力をふるう人。

やみぬ・く【病み抜く】(他五) 病気ばかりしていた人

削 **第三版**(1982・昭57)。描きたい濃淡の具合などによって、目の粗さが異なるやすりを使い分けた。

削 **第七版**(2014・平26)。明国改訂版〜三国初版の表記は「藪医(竹庵)」。

削 **第七版**(2014・平26)。現代も俗語として使用されている。

削 **第七版**(2014・平26)。

削 **第八版**(2022・令4)。特に1980年頃から田中角栄が「目白の闇将軍」と呼ばれた。

削 **第七版**(2014・平26)。近年は「うつ(鬱)ヌケ」を動詞化した「うつ抜

や

が、かかる病気が尽(ツ)きてしまったかのように、じょうぶになる。

やりせいかくなげ【(×槍)正確投げ】(名) 身体障害者のおこなう競技の一つ。車いすにすわったまま、十メートル〔男子〕はなれた地上の目標にやりを投げる。

ヤロビのうほう【ー農法】(名) 〔←ヤロビザーチヤ(ロ jarovizatsija)〕 作物の(種をしばらく低温のところにおいて)発育の期間をちぢめる方法。春化(シュンカ)処理。

ヤンガージェネレーション(名) 〔younger generation〕 若い人たち。青少年層。

☆☆**ヤング**〔young〕 ●**ーマン**(名) 〔young man〕 青年。〔ヤング メン(young men)は、複数の形〕

ゆあげ(タオル)【湯上げ(タオル)】(名) バスタオル。

ける」なる表現も。

削**第六版**(2008・平20)。1964年に東京で開催されたパラリンピックにおいて実施された競技のひとつ。

削**第二版**(1974・昭49)。悪名高いルイセンコ学説(☞231ページ)に基づく農法。日本でも1950年代から行われ、70年代に廃れた。

削**第七版**(2014・平26)。

削**第七版**(2014・平26)。西城秀樹の「YOUNG MAN(Y.M.C.A.)」(1979)より早く採録されている。

削**第七版**(2014・平26)。同じ意味の「湯上がり②」は同版で〔古風〕に。

ゆういんぜい【遊飲税】（名）←遊興飲食税。

ユーゴスラビア（名）〔Yugoslavia〕〔地〕もと、バルカン半島にあった連邦（レンポウ）共和国。セルビア・モンテネグロ・クロアチアなど六共和国で構成した。ユーゴ。

ゆうせい【郵政】（名）

―だいじん【郵政大臣】（名）〔法〕国務大臣のひとりで、郵政省の長官。

ゆうせい【優生】（名）

―がく【優生学】

削**第五版**（2001・平13）。戦時中から遊興・飲食・宿泊に課された税。何度か改正を受け、第二版～第三版刊行時は「料理飲食等消費税」、第四版刊行時は「特別地方消費税」が正式名。

削**第七版**（2014・平26）。明国～改訂版は「ユウゴオスラビヤ」、初版～第三版は「ユーゴ（ー）スラビア」、第四版は「ユーゴ（スラビア）」。2006年までにスロベニア、クロアチア、ボスニア・ヘルツェゴビナ、北マケドニア（旧マケドニア）、セルビア、モンテネグロに分裂した。

削**第五版**（2001・平13）。同版刊行年に郵政省は総務省に再編。「郵政相」も削除。

削**第三版**（1982・昭57）。初版で「優生」の用例になり、第二版で復活

（名）〔医〕優生の目的をとげるために、結婚・妊娠（ニンシン）などの問題を科学的に研究する学問。

ゆうびん［郵便］（名）●**ーがいむいん**［郵便外務員］（名）郵便の取り集めや配達、郵便貯金・簡易保険の勧誘（カンユウ）などの仕事をする職員。

ゆうびん［郵便］（名）●**ーねんきん**［郵便年金］（名）郵便局に積み立てたおかねを、そのままあずけておいて、あとで毎年決まった額だけ受け取るしくみの貯金。

ゆかずごけ［行かず後家］（名）〔俗〕結婚（ケッコン）しないまま、年を取ってしまった女性。ハイミス。

ゆっくり（副・自サ）●**ーズム**（名）〔俗〕急がず ゆっくりやる主義。

するも、再び用例に。

削**第六版**（2008・平20）。2007年の郵政民営化後も職種としては存続する。

削**第六版**（2008・平20）。1991年には簡易生命保険制度に統合された。2007年、郵政民営化に伴い加入停止。☞簡易保険（51ページ）

削**第五版**（2001・平13）。同時に削除された「行《い》かず後家」の方は次版で復活したが、第八版で〔古風〕となり、〔失礼な言い方〕の注が付された。

削**第七版**（2014・平26）。交通評論家・玉井義臣の造語。モーレツ社会・スピード社会へのアンチテーゼとして、1980年代まで言われた。

ゆびどめ【指止め】（名） 電話のダイヤルを右へ回したとき、指を受けとめる部分。

ゆめさら【（夢更）】（副）〔文〕〔下に打ち消しのことばが来る〕すこしも。つゆほども。ゆめさらさら。「―行きたいとは思わない」

ゆやせ【湯〈瘦せ〉】（名） 度をすごした入浴のため からだがやせること。

ようこ【養〈狐〉】（名）〔文〕毛皮を取るために、きつねを飼（カ）うこと。

ようしじやく【要指示薬】（名）〔医〕医者の処方箋（ショホウセン）がなければ買えない くすり。抗生（コウセイ）物質・睡眠（スイミン）薬など。

よけつ【預血】（名・自サ）〔文〕自分や他人が必要なときのために、自分の血を血液銀行などに あずけること。（↔献血（ケンケツ））

削**第五版**（2001・平13）。黒電話のダイヤル中央に記された使用説明にあった語。

削**第八版**（2022・令4）。第五版だけ「努更」の表記。

削**第二版**（1974・昭49）。「度をすごした入浴」とは長湯のしすぎ、何度も入りすぎの意か。

削**第二版**（1974・昭49）。戦前は北海道や軽井沢などで盛んだった。

削**第六版**（2008・平20）。正式には「要指示医薬品」。２００５年に医薬品分類が改正され、「処方せん医薬品」に。

削**第五版**（2001・平13）。☞血液銀行（75ページ）

ヨジウムチンキ（名）〔↑ヨジウム チンキトゥール（オ jodium tinctuur）〕〔理〕⇩ヨード チンキ。

よしの〔▽吉野〕（名） ●**―ちょう**〔吉野朝〕（名）〔歴〕南北朝時代、奈良県の吉野にあった朝廷（チョウテイ）。後醍醐（ゴダイゴ）・後村上（ゴムラカミ）・長慶（チョウケイ）・後亀山（ゴカメヤマ）天皇と四代続いた。南朝。〔一三三六～一三九二〕

よな（名）〔方〕火山灰（バイ）。

よみ〔読み〕（名） ●**読みと歌** [句]〔読みガルタと歌ガルタのことから〕①似て非なるものであること。②相手の出方で自分の態度も決まること。

よるうぐいす〔夜〈鶯〕―ウグヒス（名）〔動〕⇩ナイチンゲール。

よるのしんし〔夜の紳士〕（連語）〔俗〕ギャング。

[削]**第七版**（2014・平26）。初版は「ヨジウムチンキ」。

[削]**第七版**（2014・平26）。初版～第二版は「吉野時代」の見出し語で立っていた。政治的思惑から、教科書で「南北朝」を「吉野朝」と呼称するよう明治末期に決定されたことがあった。

[削]**第七版**（2014・平26）。阿蘇の方言。黄砂を表す「霾」（バイ、つちふる）の字を当てる例がある。

[削]**第八版**（2022・令4）。「歌と読み」という言い方もある。

[削]**第五版**（2001・平13）。「ようぐいす」「よなきうぐいす」とも。

[削]**第七版**（2014・平26）。第二版「夜」

よろけ〔名〕〈俗〉炭肺(タンパイ)。けいはい(珪肺)。よろけ病。

よわき〔弱き〕〔文語形容詞「よわし」の連体形〕

●弱き者よ、なんじ(汝)の名は女なり 句 女は力が弱くてかわいそうだ。〈シェークスピアの「ハムレット」にあることば。もとの意味は、女は誘惑(ユウワク)に弱い〉

よんエッチ【四H】(名)〔=head, hand, heart, health〕頭・手・心・健康を重んじる、農村の青少年の農業技術を改良するための団体。「―運動・―クラブ」

の注付き用例が第三版で連語項目になった。「夜の蝶」(ホステス)が第七版で入れ代わりに立項。☞街の紳士(203ページ)

削**第七版**(2014・平26)。「炭肺」の同義語には残る。

削**第八版**(2022・令4)。原文は"Frailty, thy name is woman!"で、見出し語の訳は正岡芸陽が女性について論じた『婦人の側面』(1901)で「沙翁曰く「弱き者よ、汝の名は女なり」と…」と引いているのが早い。

削**第三版**(1982・昭57)。今では「フォーエイチ(クラブ)」(農業青年クラブ)と呼ぶのが普通。

明国 1 改 三国 1 2 3 4 5 6 7 8

らりるれろ

ライカばん【―判】(名)〔ド Leica=商品名〕〔写真で〕二十四ミリに三十六ミリの大きさ。

❀**らいしんし**【頼信紙】(名) 電報をうつときに電文を書く、決まった用紙。現在は電報発信紙と言う。

ライス (名)〔rice〕

―ペーパー (名)〔rice paper〕 巻きタバコを巻く薄い紙。造花の材料にも使う。

ラジウス (名)〔Radius=商標名。スウェーデンにあった会社〕 登山用の、石油こんろ。ラジュース。

削**第三版**(1982・昭57)。初版に示された表記は「ライカ版」だった。「ライカ」は映画用の三十五ミリ(☞96ページ)フィルムを使用するカメラの名。

削**第四版**(1992・平4)。第三版では学習重要語扱いになるも削除。「電報発信紙」への改称は1951年だが、項目にはならず。

削**第二版**(1974・昭49)。第六版から「〔ベトナム料理で〕米の粉でつくったうすい皮」という新たな語義で再立項された。

削**第七版**(2014・平26)。商品名が普通名詞化した例。☞ファミコン(182ページ)

ら

ラジオ（名）〔radio〕

——プレス（名）〔radiopress〕ラジオの報道をもとにして作った新聞。

ラスト（名）〔last〕 ●**——ヘビー**（名）〔和製英語 last heavy〕最後のがんばり。

ラック（名）〔オ lak〕①ラッカー。②ワニス。

ラテカセ（名）〔商品名〕ラジオとカセット レコーダーを組み込んだ小型テレビ。

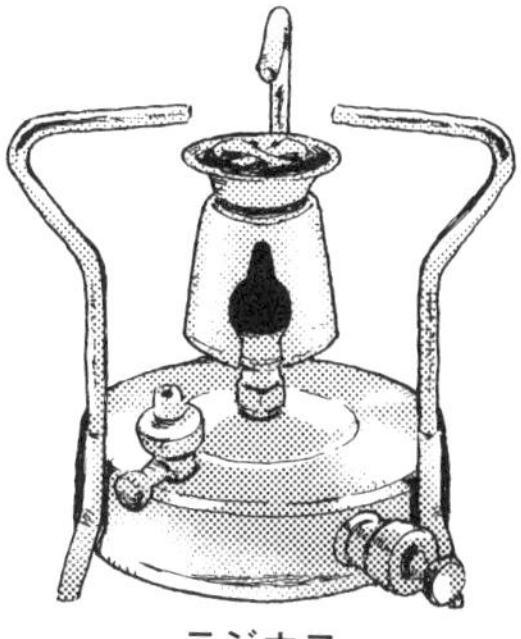
ラジウス

削**第二版**（1974・昭49）。1946年設立のラヂオプレス通信社が発行し、共産圏の短波や衛星放送から24時間体制で受信した情報を配信。

削**第七版**（2014・平26）。ラストスパート。競技でも試験勉強でも言った。

削**第七版**（2014・平26）。「オ」はオランダ語。明国～三国初版の原語はlacで、「ラック虫」が分泌するとある。

削**第四版**（1992・平4）。1976年発売の「ラテカセ77」は日本ビクター

ら

り

ラテックス〈名〉〔latex〕生ゴム。

ラレシ〈名〉⇩ラディ(ッ)シュ。

らんめん【卵麺】〈名〉たまご入りの そうめん・中華(チュウカ)そば。

リアプロテレビ〈名〉〔←リアプロジェクション(rear projection)テレビ〕テレビ画面のうしろから、小さな映像を光で拡大して投射する方式のテレビ。大画面が安価にできる。

リーベ〈名〉〔ド Liebe=愛〕〔古風・学〕恋人。愛人。

リクルート（名・他サ）〔recruit〕

の大ヒット商品。☞ビデカセ(179ページ)

【削】**第三版**(1982・昭57)。ゴムの木から取れる乳液のことだが、「生ゴム」はそれを凝固させたもの。現代では使い捨てゴム手袋が有名。

【削】**第七版**(2014・平26)。「ラディッシュ」の項目内に別語形として残る。

【削】**第三版**(1982・昭57)。「ラーメンといわずにらんめんとお呼びください」のコピーで登場したエースコック「味楽亭卵麺」は1971年発売。

【削】**第八版**(2022・令4)。広義にはブラウン管テレビも含むが、特に2000年代に現れた反射型液晶パネルのものを指す。同年代に製造各社が撤退。

【削】**第八版**(2022・令4)。

【削】**第七版**(2014・平26)。代わりに「リ

●ールック（名）〔和製英語 recruit look〕学生が就職活動のために会社訪問をするのにふさわしい服装。

☆☆**リズム**（名）〔rhythm〕

●ーうんどう〔リズム運動〕（名）音楽のリズムなどにあわせてする運動。

りっきい（名）〔経〕↑利付き興業債券。〔日本興業銀行発行。ふつう「リッキー」と書く〕（↔割興）

りっぱ〔（立派）〕（形動ダ）

●ーやか〔（立派やか）〕（形動ダ）〔文〕りっぱに見えるようす。「たいそうーな おかた」派生 立派やかさ。

クルートスーツ」が立項された。

削 **第七版**（2014・平26）。単純に意味を合わせた自明な複合語で、こうした語は採録する必要が薄い。用例カードになく、なぜ載ったか不明という。

削 **第五版**（2001・平13）。個人向けの利付《りつき》債の商品名。「利っ信」「利っ長」「利っ東」「利っ農」「利っ不動」も同版で消えた。日本興業銀行はのちにみずほ銀行などに再編。

☞割興（240ページ）

削 **第八版**（2022・令4）。「そういう感じをあたえるようす」を意味する接尾語「やか」の項目には、「ごりっぱーな おかた」の用例が入っている。

りつふどう【利っ不動】（名）〔経〕↑利つき不動産債券（サイケン）。〔日本不動産銀行発行。ふつう「リッフドー」と書く〕（↔割不動）

りふだ【利札】（名）《経》利子をしはらう証拠（ショウコ）として、債券（サイケン）につける小さな ふだ。りさつ。

りゅうしち【流質】（名）〔文〕しちながれ。

りょテル【旅━】（名）〔俗〕西洋ふうの たてもので、へやの中が和風になっている旅館。

リンガフォン（名）〔Linguaphone=商品名〕イギリスの語学学習用レコード。リンガホン。

りんきゅう【臨給】（名）↑年間臨時給与〔=ボーナス〕。

削**第五版**（2001・平13）。リツキフドーとも。日本不動産銀行は１９７７年に行名を日本債券信用銀行と改め（現在はあおぞら銀行）、その際リツフドーはリッシン、ワリフドーはワリシンになった。

削**第八版**（2022・令4）。債券のペーパーレス化で、目にしなくなった。

削**第三版**（1982・昭57）。遅れて初版で立項した「質流れ」の漢語的表現。法律用語に残る。

削**第三版**（1982・昭57）。☞レステル（233ページ）

削**第三版**（1982・昭57）。初版では「リンガホン」。外国語独習教材の走りとして、日本には戦後登場した。

削**第六版**（2008・平20）。１９５０年代から言われ始めたか。

り

りんぎょう〔輪業〕（名）〔文〕自転車（販売）業。

りんしゅく〔臨宿〕（名・自サ）〔↑臨時宿泊〕〔ストのための〕職場での とまりこみ。

ルイセンコがくせつ〔ー学説〕（名）〔Lysenko=人名〕〔生〕メンデリズムに反対する、遺伝学の学説。環境（カンキョウ）を変えれば、新しい遺伝を作ることができると主張する。

ルナーパアク③〔luna park〕（名）㊀月世界。月宮殿。㊁東京・大阪にあった娯楽園の名。

ルンゲ（名）〔ド Lunge=肺〕〔俗〕肺結核（ハイケッカク）。

レーザー（名）〔米 laser〕

削 **第二版**（1974・昭49）。第八版で復活。店名に見られるが、オートバイも含む。

削 **第六版**（2008・平20）。

削 **第二版**（1974・昭49）。末尾の「…と主張する」によって「が、即実（☞127㌻）的ではない」と言わんとしている。☞ヤロビ農法（220㌻）

削 **明国改訂版**（1952・昭27）。東京の㊁は浅草六区（☞235㌻）に開かれたが1911年に開園8か月で焼失。大阪の㊁は新世界にあり、23年に解体された。

削 **第八版**（2022・令4）。

削 **第七版**（2014・平26）。2007年製造終了。明鏡国語辞典も第三版

れる

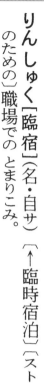

●ーディスク（名）〔laser disc〕円盤（エンバン）上に記録してある音声や画像を、レーザーを用いて再生するもの。ＬＤ。

レクシコグラファー（名）〔lexicographer〕辞書編集者〔＝著者〕。レキシコグラファー。「**ー**は弁明せず」

レク・る（自他五）〔レク←レクチャー〕〔俗〕講義する（ように話して聞かせる）。

レコード（名・他サ）〔record〕

ープレ（ー）ヤー（名）〔record player〕ラジオにつ

（2020、書籍版）で廃項としたが、逆に岩波国語辞典は第八版（2019）で立項。☞ＭＤ（34ページ）

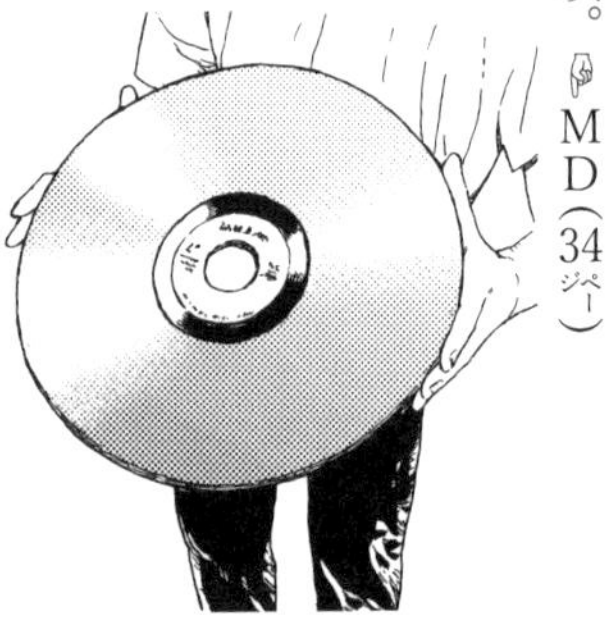

レーザーディスク

削**第七版**（2014・平26）。この用例は見坊豪紀の遺言とされ、廃項を悲しむ声もある。☞ワードハンティング（237ページ）

削**第六版**（2008・平20）。

削**第二版**（1974・昭49）。ラジオを今で言う外付けスピーカーとして使っないで、レコードをかける器具。プレーヤー。

レジン（名）〔resin〕樹脂（ジュシ）。

レステル（名）〔レストランとホテルを あわせたことば〕観光客の食事・休憩（キュウケイ）・宿泊の どちらもできる施設（シセツ）。

レせん［レ線］（名）↑レントゲン線。

ロイマチ（ス）（名）〔↑ド Rheumatismus〕《医》⇩リウマチ。

ろうしぐん［▽娘子軍］（名）「じょうしぐん」の慣用読み。

ろうじん［老人］（名）

●**—のひ**［老人の日］（連語）九月十五

た。

削**第二版**（1974・昭49）。今では工作・手芸の定番だが、削除以来、三国では扱われていない。

削**第六版**（2008・平20）。旅行が大衆化し始めた1960年代から各地に開業した施設の名称に用いられた。☞旅テル（230ページ）

削**第七版**（2014・平26）。

削**第八版**（2022・令4）。「リョーマチ」も同時に削除。

削**第八版**（2022・令4）。第三版で削除されたが、「読みあやまり」とされていたのを「慣用読み」と変えて第六版で復活していた。

削**第七版**（2014・平26）。1966年に国民の祝日「敬老の日」が制定されるまでの9月15日の愛称。ハッ

ろ

日。もと、敬老の日。

ろうじん【老人】(名)

●**—ぼけ**【老人(×呆け)】(名・自サ) 老人に多い、精神的な老衰(ロウスイ)。記憶喪失(キオクソウシツ)と被害妄想(ヒガイモウソウ)を ともなう。老人性ちほう(痴呆)症(ショウ)。⇩:アルツハイマー病。

ろうせん【労戦】(名) ↑労働戦線。

ろうそう【×狼×瘡】(名) 〔医〕顔などにできる、結核(ケッカク)性の皮膚(ヒフ)病。

ろうれい【老齢】(名)

—ふくし ねんきん【老齢福祉年金】(名) 〔法〕福祉年金の一つ。老人が受け取る。⇩:厚生年金・国民年金・福祉(フクシ)年金。

ピーマンデー(☞173ページ)制度で敬老の日が9月第3月曜に変更され、老人福祉法は9月15日に再びこの名前を付けた。

削**第六版**(2008・平20)。第二版での表記は「老人惚け」。語釈にある「老人性痴呆症」は医学用語だが、2004年に「痴呆」を「認知症」と言い換えることを厚生労働省が決め、現在は用いない。

削**第六版**(2008・平20)。1990年代以降めっきり聞かれなくなった。

削**第六版**(2008・平20)。膠原《こうげん》病(紅斑性狼瘡)が語釈に含まれていない。

削**第五版**(2001・平13)。1916年4月1日以前に生まれた人に受給資格がある。

ろくごう【六号】(名) ↑六号活字。「―記事(=六号活字で組んだ、ゴシップその他の記事)」

ろく・る【録る】(他五)〔俗〕録音する。

ロストル(名)〔オ rooster〕かまどなどの、火がもえるところに敷(シ)く、鉄の棒をならべたわく。火格子(ヒゴウシ)。

ろっく【六区】(名) 東京浅草の娯楽街。

削**第三版**(1982・昭57)。六号活字は8ポイント弱の大きさ。文芸雑誌の匿名批評の欄を「六号記事」と言った。

削**第五版**(2001・平13)。エアチェック(ラジオ等の録音)華やかなりし頃の語。

削**第三版**(1982・昭57)。「さな」(☞94ページ)に同じ。窯で、うねなどを作って通気させるものを「ロストル式」と呼ぶ。火葬炉にも用いられる構造。

削**第二版**(1974・昭49)。立項されていた1960年前後、浅草六区通り(現・六区ブロードウェイ)沿いには松竹演芸場・松竹映画劇場(現・浅草ROX)、日活劇場、フランス座、大勝館、ロック座など劇場が林立し(☞挿絵)、一大歓楽街を成した。☞ルナパアク(231ページ)

ろれ・る（自五）〔俗〕舌がもつれてうまく言えない状態になる。ろれつが回らなくなる。

ロンバードがい［ロンバード街］（名）〔Lombard〕ロンドン金融（キンユウ）市場（の中心街）。

ロンパリ（名）〔↑ロンドン・パリ〕〘＝一方の目でロンドンを、他方の目でパリを見ること〙〔俗〕斜視（シャシ）。

六区

削 **第八版**（2022・令4）。「呂律＋る」による造語。

削 **第八版**（2022・令4）。イギリスの退潮とともに語の頻度も下がったか。

削 **第五版**（2001・平13）。日本俗語大辞典によれば動詞形「ロンパる」もあった。

明国→三国 1—改 1—2 3—4 5—6 7—8

ワーカー（名）〔↑ソシアル ワーカー〕社会福祉（フクシ）活動を専門におこなう人。

削 **第五版**（2001・平13）。第八版では広く「仕事をする人」の意味で再立項された。

ワード ハンティング（名）〔和製英語 word hunting〕ことば さがし。ことば集め。用例採集。

「レクシコグラファー」（☞232ページ）とともに第七版（2014・平26）で削除された。第三版（1982）で立項時の用例は「ワードハンティング二十年」であり、1959年に見坊豪紀が用例採集を本格的に始めてからの経過年数と思われる。第四版（1992）では「ワードハンティング五十年」が掲載され、こちらは見坊が明国の編纂《へんさん》に関わり始めた39年から起算した期間とみることができる。一般的に語釈の例文は、典型的な使用例を示して意味・用法の理解を助けるのが本分である。が、ここでの「ワードハンティング五十年」、並びに「レクシコグラファー」における「レクシコグラファーは弁明せず」は、それとは異なる。国語辞書に取材していくつもの著書を残した石山茂利夫は、『裏読み深読み国語辞書』でこう評している。「「レクシコグラファー」と「ワードハンティング」のメッセージの凄味は、メッセージを書きたいためにこれらを見出し語に立てたことにある。見坊さんが辞書作りにおいて自らに許した唯一のぜいたくであるように思う。」

辞書制作の基礎資料作りとして見坊はワードハンティングに挑んだ。特に三国初版の刊行以後は、書籍や新聞・雑誌、テレビ・ラジオのほか、芝居や落語、ふと耳にした会話や街角の看板に至るまであらゆる言語表現を対象に休むことなく続いた(☞挿絵)。日々「ことばを追いかけ、こ

ワードハンティング

とばにおくれず、ことばと並んで走る」ために行われた50年間の採集は、145万枚という大量の〝タンザク〟に結実している。その一方で「辞書にのるのは、かりに一〇〇例集めてもそのうちの二―三例」と分析。膨大なカードとともに、「用例とは、捨てるために集めるものナリ」との言を遺した。現在では、〝見坊イズム〟を継ぐ飯間浩明を始めとした三国編者陣がたゆまぬ用例採集を続け、その成果は三国の新たな版に惜しみなく反映されている。

わい―【〈猥〉】(造語) わいせつな。「―映画」

わエス【和エス】(名) 日本語とエスペラント。「―辞典」

わかとのばら【若殿：原】(名)〔文〕①身分の高い、年の若い男の人。②年の若い侍(サムライ)たち。

わからない【分からない】(連語) ● **分からない男** 句 ものの道理がわからない男。

削 **第三版**(1982・昭57)。

削 **第二版**(1974・昭49)。単純な複合語が載っていたところに「エス語」(☞33ページ)の存在感をみる。

削 **第六版**(2008・平20)。広辞苑や大辞林では、「若殿《わかとの》」に追い込む。

削 **第六版**(2008・平20)。同版の「分からない」に「②ものの道理が理解できない」の語義が立ち、用例に移行した。

わ

わちゃ【和茶】（名）〔紅茶・ウーロン茶などに対して〕日本古来のお茶。日本茶。緑茶。

わらこんしき【〈藁婚式】（名）　結婚（ケッコン）して二年めに祝う式。

わりこう【割興】（名）〔経〕↑割引興業債券（サイケン）。〔日本興業銀行発行。ふつう「ワリコー」と書く〕（↕りっきい）

削 **第八版**（2022・令4）。同版で造語成分「和」の解説が充実したため、「和＋茶」という自明な複合語として削除されたものか。

削 **第四版**（1992・平4）。もとはstraw weddingを訳したものと思われるが、英語でも現在は死語のようだ。吉行淳之介による同名作（1948）では、菓《キャンディ》婚式が3年目、藁婚式が4年目、木《もっこん》婚式が5年目とされている。

削 **第五版**（2001・平13）。発行の減少・終了に伴って、他金融機関の債権「割商《ワリショー》」「割信《ワリシン》」「割長《ワリチョー》」「割東《ワリトー》」「割農《ワリノー》」も一斉に廃項となった。☞りっきい（229ページ）

版数別 削除項目（抄）

◉『明解国語辞典 改訂版』以降、『三省堂国語辞典 第八版』までの各改訂で削除された項目のうち、当時の言語生活がうかがわれる計 2,000 項目を精選し、版数別に五十音順で掲げました。

◉索引として使えるよう、本書掲載の 1,000 項目にはそのページを示しました。

◉表音式仮名遣いの見出し語は、現代仮名遣いに直して配列しました。

◉『三省堂国語辞典 第三版』以降において、句は慣用句などを表します。

明国改訂 1952

明解国語辞典改訂版での削除例
(本書掲載の17項目ほか計51項目)

三国 1 版 1960

三省堂国語辞典(初版)での削除例
(本書掲載の33項目ほか計202項目)

三国2版 1974

三省堂国語辞典第二版での削除例
(本書掲載の194項目ほか計571項目)

三国3版 1982

三省堂国語辞典第三版での削除例
(本書掲載の49項目ほか計130項目)

三国4版 1992

三省堂国語辞典第四版での削除例
(本書掲載の13項目ほか計40項目)

三国5版 2001

三省堂国語辞典第五版での削除例
(本書掲載の101項目ほか計140項目)

三国6版 2008

三省堂国語辞典第六版での削除例
(本書掲載の114項目ほか計166項目)

三国７版 2014

三省堂国語辞典第七版での削除例
(本書掲載の220項目ほか計301項目)

三国８版 2022

三省堂国語辞典第八版での削除例
(本書掲載の259項目ほか計399項目)

見坊行徳（けんぼう・ゆきのり）

辞書マニア、校閲者。1985年神奈川県生まれ。早稲田大学国際教養学部卒。在学中に「早稲田大学辞書研究会」を結成し、副幹として『早稲田大辞書』を編纂。YouTube「辞書部屋チャンネル」で辞書の面白さを発信する。イベント「国語辞典ナイト」のレギュラーメンバー。辞書マニアが共同で辞書を保管して集まる「辞書部屋」主宰。『三省堂国語辞典』の初代編集主幹、見坊豪紀《ひでとし》の孫。共著に『辞典語辞典』(誠文堂新光社)。

装　丁――――――三省堂デザイン室（佐野文絵・門澤泰）
カバー・扉・見返し写真――株式会社メディアパートメント(杉野正和)

三省堂国語辞典から消えたことば辞典

二〇二三年 四 月一五日　第一刷発行
二〇二四年 五 月三一日　第五刷発行

編著者　見 坊 行 徳
　　　　三省堂編修所
発行者　株式会社 三省堂　代表者 瀧本多加志
印刷者　三省堂印刷株式会社
発行所　株式会社 三省堂
　　　　〒一〇二－八三七一
　　　　東京都千代田区麴町五丁目七番地二
　　　　電 話（〇三）三二三〇－九四一一
　　　　https://www.sanseido.co.jp/

〈消えたことば・256 pp.〉

落丁本・乱丁本はお取り替えいたします。

ISBN978-4-385-36624-1

本書の内容に関するお問い合わせは、弊社ホームページの「お問い合わせ」フォーム(https://www.sanseido.co.jp/support/)にて承ります。

典の歩み

書誌情報＝書名｜発行日｜項目数｜本文頁数｜初刷定価（税込）

明解国語辞典 改訂版
1952（昭和27）年4月5日
66,000項目
962頁
380円

※別冊補遺「新語編」（1966）／改訂新装版（1967）

三省堂国語辞典
1960（昭和35）年12月10日
57,000項目
928頁
420円

※新装版（1968）

三省堂国語辞典 第二版
1974（昭和49）年1月1日
62,000項目
1,200頁
1,400円

※小型版（1974）／革装（1974）

三省堂国語辞典 第四版
1992（平成4）年2月10日
73,000項目
1,376頁
2,200円

※小型版（1992）／革装（1992）／大字版（1992）／ヨコ組（1994）

三省堂国語辞典 第五版
2001（平成13）年3月1日
76,000項目
1,504頁
2,625円

※小型版（2001）／大字版（2001）

三省堂国語辞典 第六版
2008（平成20）年1月10日
80,000項目
1,632頁
2,835円

※小型版（2008）／大字版（2008）／BIGLOBEアプリ（2012）

三省堂国語辞典 第七版
2014（平成26）年1月10日
82,000項目
1,760頁
3,045円

型版（2014）/BIGLOBEアプリ
14）/大字版（2014）/物書堂ア
（2014）/ATOK連携電子辞典
5）/阪神タイガース仕様（2018）
島東洋カープ仕様（2019）/福
フトバンクホークス仕様（2020）

三省堂国語辞典 第八版
2022（令和4）年1月10日
84,000項目
1,760頁
3,300円

※物書堂アプリ（2021）/
小型版（2022）/大字版（2022）/
ATOK連携電子辞典（2023）